ジオラマ

桐野夏生

新潮社

ジオラマ＊目次

ジオラマ

dead girl

デッドガール

シーツに俯《うつぶ》せに押しつけられた時や、仰向けに転がされて男の体重に押しつぶされそうになって喘《あえ》いだ時、そのにおいがカズミの鼻先をかすめた。

それは、汚れたシンクの隅の、腐った生ゴミのにおいのようでもあり、花瓶の濁った水の中でどろどろに溶けた植物の茎のにおいのようでもあった。カズミはそのたびに顔を背け、少しでも新鮮な空気を吸おうとのけぞりながら口をぱくぱく開けた。

「あんた、時々すっごく嫌な顔するよねえ」

男が小声で文句を言い、不機嫌そうに身を起こした。故意か偶然か、身を捩《よじ》った男の手がカズミの頰にぴしゃっと当たった。力は籠《こ》もっていないものの、掌《てのひら》は分厚くて重い。

「痛っ！」と叫んだカズミは、反射的に両手で顔を庇《かば》う仕草をした。

「言っとくけど、わざとじゃないよ」

男は謝りもせず横を向いた。その目にほんの一瞬だけ、嗜虐的《しぎゃくてき》な色が浮かぶのをカズミの目は捉える。おとなしいサラリーマンと思っていた男が、急に違う人間に見えた。

「何かさ、俺こう思うんだよね。あんたそんな嫌な顔すんなら、ついてこなきゃいいのにって」

「ごめん、何か変なにおいがするから」

男は顔色を変えた。自分が臭《くさ》いとなじられたように感じたらしい。カズミは、弁明しようとしたが口を噤《つぐ》んでしまった。同じひとつのベッドの上にいても、男と自分の横たわった位置とでは感じ取れるものが違うことに気づいたからだ。そしてそのことが、見ず知らずの男とラブホテルにいる自分と、相手との気持ちの断層を表しているような気がしたからだった。

「臭くて悪かったなあ」

男は仏頂面のまま、ベッドから降りた。痩せているのに、腰骨に腹の贅肉《ぜいにく》が被《かぶ》さり、尻の肉がたるんでいる。白い太股《ふともも》に毛ガニのような黒い毛が密生しているのをカズミは無表情に眺めた。まだ三十くらいなのに醜い肉体だと思う。いや、この男だけではない。すべての男の肉体が滑稽《こっけい》で醜いのだ。見知らぬ男が裸になるたびに、カズミはつい目を背けてしまう。

「何見てんだよ」

背中に冷えた視線を感じた男が振り返り、劣等感と軽蔑の入り交じった表情でカズミを見遣《みや》った。思わず、カズミは身を縮めた。また殴られると思った。だが、男はカズミの怯《おび》えを見て、勝ち誇った顔をしただけだった。

今にも〝戦争〟が始まりそうだ。カズミの考える〝戦争〟とは、男とのどうしても埋まらない溝。それどころか、海溝ほどに深い隔たりを感じる時の比喩《ひゆ》だ。

《ほんとに憎たらしい。こういう瞬間の男って死ぬほど嫌いだ》

カズミはこんな場合に決まって起きる憤怒《ふんぬ》の感情を持て余し、内心じりじりした。会社では地味で暗いと噂《うわさ》されている自分の中に、こんな激しい感情があるなんて信じられないような気がした。

男はしばらくベッドの横に突っ立ってカズミの様子を眺めていたが、やがて怒りを振り落とすように言い捨てた。

「何か貧乏臭いんだよね」

「あたしが？」

「そうは言わないけどさ」

「じゃ、どういうこと？」

衝撃を受けたカズミはおずおずと問うた。が、男はわざとらしく首を傾《かし》げる。

「さあね」

《どっちが貧乏臭いのよ。あんたなんか絶対に女にもてなくて、あたしに払うお金だってけちりそうな奴なのに》

再び激しい感情が渦巻《うずま》いてきたが顔には出さず、カズミは男が緩んだ後ろ姿を見せてバスルームに入って行くところをずっと睨《にら》み続けた。貧乏臭い。その一言に打ちのめされたことは認めたくなかった。そして、いつものように、冴《さ》えないと蔑《さげす》んだ男から金をもらって寝ること自体にひりついた屈辱を感じていることも。

カズミは仰向けに横たわったままサイドテーブルに手を伸ばし、男のタバコを口にくわえた。それから、鼻孔をふくらませてあちこちのにおいを嗅《か》いでみた。だが、もうあの腐ったようなにおいはしない。カズミは思わず自分の体のにおいも嗅いだ。もしかすると、嫌いな男から金をもらってラブホテルにいる自分から漂ってきたのかもしれないと思いついたからだった。反省と自己嫌悪。時々湧き上がるこの気持ちは、カズミを一番萎《な》えさせる。

一刻も早く安全な自分の部屋に帰りたい。あの男はこれから自分に何をするつもりなんだろうか、とカズミは心配になった。そして、どうしてこんな危ない仕事をしているのだろうと自分の心を量りかねるのだった。

便座が跳ね上げられ、勢いよく水を流す音が聞こえてきた。男はシャワーを遣う気らしい。痰《たん》を吐く音が聞こえ、カズミは弧を描いた人工的な細眉をひそめた。癪《しゃく》に障《さわ》った客に時々するように、ポケットの中を探ってやろうかと男の服の在処《ありか》を目で探す。見るからに安物らしい薄いジャケットは、入り口近くの、茶のビニール張りソファの背に無造作にかけられていた。二人が飲んだビールとグラスが、指紋だらけのガラステーブルの上に残されている。それらを見るとカズミの気がさらに滅入《めい》った。

この行為がばれたら何をされるかわからない。が、さっき男が見せた嫌悪と苛立《いらだ》ちの表情を思い出すと、復讐《ふくしゅう》してやらなければ気が済まなかった。カズミはまだ火をつけていないタバコを箱に戻すと、裸のままベッドから降りた。バスルームのほうを窺《うかが》う。中からは激しいシャワーの音と風呂の湯を出す音が同時に聞こえてくる。

カズミは思い切ってジャケットの内ポケットに手を入れた。金を盗む気はなかった。名刺の一枚でも手に入れてやろうと思ったのだった。名刺を手に入れてどうするかなんて何も考えていない。ただ、男が隠そうとしているものをこっそり知ることができればいい気味だと思っただけだ。

薄い札入れを取り出そうとしたちょうどその瞬間、まるで立ち眩《くら》みを感じた時のように部屋が急に薄暗くなった気がした。慌てて札入れをポケットに戻したカズミは、顔を上げて部屋を見回し、ひっと小さな悲鳴を上げた。部屋の入り口に若い女が立っていて、こちらを見ているのに気づいたからだった。

「ああ、びっくりしたあ！」思わず両手で胸を押さえる。

女は立ったまま、カズミの反応を見て困ったように薄笑いを浮かべている。驚きがおさまると猛烈な怒りが湧いてきた。

「ちょっと、あんた！　ここで何してんのよ」

女はしっと唇に指を当て、共犯者の顔でバスルームを見る仕草をした。金ボタンが左右に並んだ黒のミニドレスを着ている。O形に湾曲した細い足に、馬のひづめのような分厚い底のショートブーツ。カズミと同様、茶色に染めた長い髪を背中に垂らし、前髪はミストで固めている。カズミは床に落ちているバスタオルを素早く体に巻き付けると、声を潜めて問い詰めた。

「あんたどこから入って来たのよ！　早く出てってよ」

女は謝罪するように片手を挙げた。長い爪にはゴールドのマニキュアが施されているが、その先端は醜く剝《は》げかけている。

「ね、どっから入って来たって聞いてんのよ」

「開いてたのよ」

ぼそっと低い声で答え、入り口のドアを指さす。

「あたしが鍵閉めたから覚えているもの。絶対に入れないわよ」

「そう？　でも、チェーンかけてなかったでしょ」

女はそう言って、男のジャケットがかかったソファの背をふわっと摑んだ。合鍵でも使ったのかとカズミは怖くなった。密室のはずのラブホテルの部屋に、勝手に忍び込まれたのではかなわない。

「強盗じゃないよね。ね、早く出てってよ」懇願口調になる。

「違うわよ。ね、あんた、今、客の名刺でも取ってやろうと思ったんでしょう」女は訳知り顔をして、肩にかけた大きなシャネルバッグからタバコを取り出した。「わかってるんだって。それだけはやめたほうがいいよ。嫌な奴なら、身元調べなんかしないで関わり合いにならないようにさっさと帰ったほうがいいって」

「あんた出て行かないのなら、あいつに知らせるわよ」

「グルだと思われて、酷《ひど》い目に遭わされるかもよ」

「まさか」

「貧相な男だって、びっくりするほど強い力出すよ。これまでに思いっきり殴られたことある？」

「ない」

「だとしたら、あんたは運がいいんだよ」女は混乱したカズミの顔を見た。「ほんと、運がいい」

「そうかしら」

言いくるめられた気がして、カズミは釈然としなかった。何か言い返そうとすると、女はカズミの反応などどうでもよいといった様子でさっさと話を変えた。

「あいつはまだ出てこないからさ、今のうちに少し話さない？」

「何を？　何を話すっていうのよ」

カズミは呆れて、女が金色のライターで細いタバコに火をつけ、歪《ゆが》んだアルミの灰皿を引き寄せるのを眺めていた。

「いろんなことよ。あんたのこととか、あたしのこと」

「どうして？」

「話したいんだもの。ね、いいでしょう」

女はカズミに許しを乞うた。その目に、ちらっと涙が見えたような気がしてカズミは息を呑《の》む。男に見つかったところでどうせ、自分の責任ではないのだから構わないではないか。そう思うとどうでもよくなった。

「どうしてこういうことになんのかよくわかんないけど。でも、いいよ。そのかわり早く出てってよ。あたしが困るんだからさ」

「うん」女は嬉しそうにビニールソファに腰を沈め、男のジャケットに寄りかかった。皺《しわ》がたくさん寄ればいい、とカズミはそれを冷たく見据える。

「こんな安物着てやがる。金もねえくせに、女なんか買うんじゃねえよ！」

若い女は憎々しげに背中にあるジャケットを振り向いて一瞥《いちべつ》し、罵《ののし》った。カズミは密《ひそ》かに同調しながらも口調だけは冷静に言った。

「話って何なのよ」

「ね、あんたもウリでしょう？　いつ頃からやってんのよ」

唐突な女の言葉に、カズミは苦笑いをしながらベッドの端に腰を下ろす。

「あんたが信用するかどうかわかんないけど、お金をもらうようになったのは去年からよ。はじめは冗談だったのよ。お金くれるっていうんなら、ま、いっかってノリ。そのうち、どうせ誘われて寝るんなら、好きでもない相手なんだからお金くれなくちゃ割りが合わないとか思ってさ」

「去年からなの？」

女は驚いたらしかった。

「だって、あたし昼間は仕事してるんだもん」カズミは怪しげな女と同類に思われてはたまらないと抗議の声を上げた。

「何の仕事？」

「いわゆるOL。ワープロ叩いたり、ファクス流したり電話番したり。誰にでもできるくだんない仕事だけどね」

「へえ、あたしもそういうことしたことあるよ。今は何もしてないけど」

女は煙とともに言葉を吐き出すと、寂しそうにうつむいた。

「何で？」

「だって死んでるんだもの」

「やめてよ、幽霊だって訳？　冗談よしてよ」

カズミはどう見ても死人には見えない女の全身を眺めた。顔色は悪いが、茶色の弧を描いた細眉も目の上の濃いシャドウも、赤紫の口紅もくっきりとしている。年齢はカズミと同じ二十二歳か、ちょっと上くらい。頭のおかしい女に違いない。カズミは急に怖くなった。しかし、カズミの怖《お》じた視線を受けると、女は馬鹿にするように笑った。

「あんた、何でウリなんかするようになったのよ」

「あたしは、何か会社が面白くないっていうか、むしゃくしゃしたからかな」

「会社での腹いせしてる訳？」

女はあまり興味なさそうに暗い面持ちで聞く。

「そうかもしれない。仕事面白くないし、会社のオヤジは狡《ずる》くて大嫌いだし、どこにも行くとこないっていうか、そういう虚しい感じ」

カズミは、突然闖入《ちんにゅう》してきた見ず知らずの女に、自分が正直に喋《しゃべ》っていることに驚いている。女は、アスファルト道路に映る黒い影法師のように、カズミの忘れていたい部分をくっきりと現す存在のようだった。

「あんたさ、この商売ラクチンだと思ってない？」

「最近は思わないわよ。疲れてきた」

「わかるよ。この仕事って、だんだん疲労するんだよ。何に疲れるって相手を値踏みするのに疲れちゃうんだ。客を見極めるのも結構大変な仕事じゃない。金を持ってそうな奴、無い奴、持ってそうな客の中でも、金払いのいいのとかケチなのとか、いろいろいるじゃん。その中でも優しい奴、気の弱い奴、荒れてる奴とか。中には変態とか、すぐぶっキレる客もいるから、そういうのに当たらないように注意しなくちゃならないしさ。万が一当たったら、どう相手するか考えておかなくちゃならないじゃん。毎日毎日、することっていったら客の品定めばっか。そのうち疲れちゃって、品定めしなくても済む決まった相手とばっかになるの。そういう商売はラクだけど、お金をもらいにくくなるでしょ。男だってほんとは、相手がどんな女か心配でしょうがないわけよ。あんたの素性を知りたがるでしょ？　で、一回安心しちゃうとさ、他の女に手を出すのも面倒くさいからなるべく馴染《なじ》みになりたがるのよ。そうなるとビジネスじゃなくなっちゃって、何か違う関係になっちゃってさ。あたしは嫌いだったよ。あんたはどう？」

　黙って聞いていたカズミは、一人の客のことを思い出していた。売春を始めたばかりの頃、一年近く前のことだ。渋谷の街を流していたら、眼鏡を掛けた若い男に誘われ、ホテルに入った。身なりの良さと真面目そうな態度から一部上場企業のサラリーマンと踏んだのだが、裸になると男の背中には一面入れ墨がしてあった。それも、ぼけた輪郭だけで、途中放棄したことが歴然としている中途半端な代物だった。その背中を見たら、男のすべてが知れてしまいそうな。

　それがわかっているのか、男はなるべく背中を見せないようにしていたし、カズミも気づかない振りをし続けた。勿論《もちろん》、内心は怖くて堪《たま》らなかった。風体を見ては注意深く避けていた極道者にとうとう引っかかったと思ったからだった。しかし何事もなく、男はカズミに三万払うとさっさと先にホテルを出ていった。

しばらくして、その男が取引先の一員として会社に現れた時はさすがにびっくりした。男もぎくりとした様子でカズミの顔を凝視した。グレイの地味な制服を着ていても、髪をまとめていても、カズミがあの晩の娼婦だということはすぐさまわかったらしかった。商談が済むまで、カズミは不安で堪らず、何度も応接室のほうを窺った。だが、男が自分のことをばらしたら、自分もあの入れ墨のことを言ってやればいい、それなら「あいこ」ではないか、とも考えていた。その感情は、お互いの弱みを握りあっているという共犯関係によって生じるものではなく、自分の指に針を突き刺すようなひりひりした痛みに近かった。

やがて男は商談を終えて、応接室から出てきた。しかしもう、カズミのほうなど見ようともしなかった。カズミも堅い背中を見せたきり、自分の机から動かなかった。男も自分と同じ気持ちでいたのだろうと思ったのは、それから何週間もしてからだった。

「何考えてんのよ。何か嫌なこと思い出してんでしょ？」

にやにやした女に言われて、カズミははっと我に返った。

「別に」

「嘘つかなくていいよ。嫌なことばっかあるでしょう、この商売。どうしてこんなことしてんだろうと思わない？　これってどっか、自分を痛めつけて喜んでるＳＭみたいなとこない？」

「ないよ、あたしは」カズミは叫ぶ。

嘘を見抜いたように、女はふふっと薄く笑った。女の吸うタバコは少しも燃え進んでいなかった。バスルームからはシャワーの音が相変わらず激しく聞こえて来る。カズミは時間の感覚が少しおかしくなっているのかと不安に思った。たまらず、腕時計を載せたサイドテーブルのほうを振り返る。すると、女が言葉で遮った。

「こっち向きなよ」

思わず女の目を見ると、虹彩《こうさい》の中にある黒い点が広がり、大きな空洞みたいだった。カズミは吸い込まれるようにその空洞を見つめた。

「あたしさ、男って大嫌いなのよ。体つきもみっともないしさ、粗暴で威張るしさ。馬鹿だよ。あんたは男のこと好き？　好きになったことある？」

「急に変なこと言わないでよ」

「変かなあ」

女は照れ笑いを浮かべながら茶色の髪をひっきりなしに右手で梳《す》いた。さんざん染めて脂気のない毛先は、ささくれた枝毛になって幾本にも枝分かれしていた。

「ねえ、嫌いでしょ？　好きならこんなことしないもんね」

「わかんない。考えたことないもの」

「また嘘ばっか。あんた嘘つき。男が嫌いじゃなくちゃ、こんなことできないよ。さっきだって名刺盗んでやろうとしてたじゃん。あんた、今の客が嫌なんでしょう。喧嘩《けんか》になりそうになったんでしょう。そういう時って〝戦争〟みたいだって思わない？」

カズミは言い当てられた気がして、はっと顔を上げた。

「どうして分かるの？」

「そら分かるわよ。あんたとあたしは同じなんだもの」

「どうして同じだって分かるのよ」

女はカズミの問いには答えず、傷《いた》んだ髪を再び片手で梳いた。それはいくら撫《な》でつけても、女の心のささくれを表すようにあちこちに飛びはねたままだった。女は勝手に身の上話を始めた。

「あたしさ、小学校の時に母親が蒸発しちゃって父親とおねえちゃんと三人で暮らしてきたのね。母親がいなくなってからずっと、うちの父親は母親の悪口ばっか言ってた。あのスベタ、あの淫乱、あの阿呆って。もういないんだからどうだっていいじゃんて思うけど、あいつはずっと言い続けて暮らしていた。この人、憎しみだけで生きているんだって気がついたのは、中学の時かな。おねえちゃんは中学出るとすぐに家を出て行っちゃったし、あたしも心の中では父親なんかとっくに見捨てて憎んでいたから、家になんかいたくなかった。ただ行くとこがないから一緒にいただけ。だから、父親が仕事から帰って来る頃には外に遊びに行って家にいないようにして、夜中にこっそり帰って来るの。ボロアパートだったからどっからでも入れたんだよ。そのうち、帰るのも面倒臭くなってさ、遊び仲間と部屋借りてみんなで一緒に暮らしてたの。万引きやったり、ウリやったりして、その日暮らしだったけどその時が一番楽しかったな。あんたは？」

「あたしは田舎に父親も母親もいるし、普通の関係。ただ……」

「ただ？」

女は空洞の目をカズミに向けた。何も見えていないのではないかと感じさせるほど焦点は曖昧《あいまい》だった。空調のあまり効かない部屋にいるにもかかわらず、カズミの腕に鳥肌が立った。だが、言葉だけは滑らかにカズミの口を衝《つ》いて出る。

「会社にいると死にそうになるんだ。何もかもつまらないし、何もかも嫌い。男が嫌いっていうより、あたしの周りがすべて嫌なの」

「だからさ、こういうことしてるんだよね、あたしたちって。こういうことしてると、すごく怖い目に遭ったり、自分が惨めだったりしてさ。すごく嫌だけど、嫌でたまらないことって生きてる実感があるじゃん。それだよね」

　そうかもしれない。カズミはさっき男と〝戦争状態〟になりかかった時の自分の変化を思い出していた。ああなった時、自分は自分じゃなくなる。荒々しい気持ちがカズミのどこかに確実に棲《す》んでいて、それを押しつぶして暮らしているからかもしれない。しかし、どう見ても娼婦にしか見えない、この女と自分が同じだなんて。カズミは不安になった。

「あたしの話、聞いてよ」女が再び口を開いた。赤紫色の口紅を塗った口角から、カニの吹くような小さな白い泡が覗《のぞ》けるのを、カズミは怯えを持って眺めた。「あたしにも真面目な時期があったんだよ。高校は行かなかったけど、その頃知り合ったヤクザがいて、そのおっさんがすごく親身に相談相手になってくれたの。おまえ、それじゃ駄目になるとか説教されてさ。で、そのヤクザの知り合いの会社に勤めることになったんだよ。お絞りの配達の事務。ヤクザのおっさんは、てめえがガキ相手にシャブ売ってんのに、あたしには優しくて、あんなものに手を出すなとか言ってさ。その時は感動したよ。あたしのこと考えてくれてんのかなって。でもさ、そのうち、ヤクザのおっさんの身の上話聞いてあげちゃったら幻滅した。おっさんにもあたしと同じ年頃の娘がいて、その娘が家出して心配してるとかいう話なんだよ。ああ、このおっさんもうちの父親と同じなんだって思って、急に馬鹿らしくなったの。つまり、娘にできなかったことをこのあたしにしてる訳じゃん。堂々巡りしてどうすんのって感じ。馬鹿だよ」

「あんた、そのヤクザとできてたの」

「そうだよ」

「好きじゃなかったの」

「好きなような気がしてただけだよ。あたしの話をうんうんって聞いてくれるからね。でも、本当はあっちも好きでも何でもないんだよ。ただ、偉そうに指図する娘みたいな女が欲しいだけなのさ。お笑いじゃない」

女はちっとも燃えていかないタバコを、テーブルの上にある灰皿で苛ついたように揉《も》み消した。へこんだ灰皿はバランスを崩し、ガラステーブルの上でいつまでもかたかたと揺れ続けていた。

「それでおっさんのとこ飛び出して、十九歳からウリやって生きてた」

「彼氏はいなかったの」

「いないよ。ウリやってりゃ、できっこないじゃん。彼氏できればウリなんかできないし。そんなことどうでもいいんだよ。分かってるくせに。あんただっていないだろ？」

カズミは黙っていた。彼氏が欲しいなんて思うことは、もうほとんどなかった。それは中学生の頃の幼稚な夢だ。今の男たちには何も期待していない。自分が夜になると街頭に立つのは、小さなアパートの部屋で一人きりで過ごしたくないからだ。会社もつまらない。一人もつまらない。ただ、それだけだった。一人でいれば自分と向き合わなくてはならない。そうしたら、何もない空っぽな自分は退屈ですぐに音《ね》を上げるだろう。さっき覗き込んだこの女の、目の中にある空洞のような空っぽに。

「あんた彼氏欲しい？」

女は肩にかけたシャネルバッグの金色のマークを撫でさすった。

「欲しくないよ」

カズミは、背中に中途半端な彫り物を背負った客のことをまた思い出した。自分も同じなのだ。自分も目に見えない彫り物を背負っているから、一生、自分をさらけ出すことなんかできない。その引け目から抜けきれない以上、男と仲良くなんかなれっこない。カズミの答えを聞いて女は一人で何度も頷《うなず》いた。

「あたしさあ、つい一週間前のことなんだけど、すごくいい男を見たんだよね。それは客と一晩過ごしたホテルのエレベーターの中だったの。きんきらきんで鏡ばっかの新しいホテル。あんたが商売するようなラブホテルじゃないよ。ほんとのシティホテルっていうの？　高層のかっこいい、すごく高いホテルだよ。そこでさ、オールナイトの客と降りてきたところだった。チェックアウトタイムっていうやつ？　その客は馴染みで服飾評論家とか自分で言ってるデブでみっともないじじい。もう六十近くてさ、ひどいことしないけど見栄っぱりでドケチだからあたしはうんざりしてたのね。もうこんなじじい相手の仕事すんの、ほんとに嫌だとか思ってさ。暗い暗い気分だったの。だってそいつこう言ったんだもの。『エレベーター別にしたほうがよかった』って。一歩表に出れば、もう恥ずかしい訳よ。こんなあたしと一緒にいるのが。そしたら、そのいい男が途中階から乗って来たんだ。女連れだった。女は明らかにあたしと同類だった。しかも三十は越してるばばあ。でも、一緒にいる男がいいと、商売女も救われるんだって思ったくらい、そいつはかっこよかったのよ。しかも悔しいことに、そいつは商売女と腕組んでたんだから」

女は夢見るような口調で言ったが、目つきは暗かった。カズミは口を挟んだ。

「あんたは男なんか嫌いだって言ったばっかりじゃない」

「嫌いだよ。だけど、期待を持っちゃうことだってあるじゃないか。ああ、あたしが考えてた男というものを裏切ってくれるんじゃないかって」

「なるほどね。どんな男だったの？」

「歳は三十くらい。アルマーニ着てロレックスしてた。女なんか買わなくたって、いくらでも間に合いそうな綺麗な顔をしてさ」

「アルマーニなんてよくわかったわね」

「あたしは自慢じゃないけど、暇さえあればブランドの店覗いているんだからわかるよう。あんたみたいに地味じゃないもん」

女は小馬鹿にしたようにカズミの顔を見た。カズミはさっき男に言われた「貧乏臭い」という言葉を、女がそっくりそのまま頭に思い浮かべたのではないかと怯えた。それは、カズミが背中に背負った彫り物のひとつでもあった。

「まあいいや。気に障ったらごめん。それでね、あたしはその人が連れてる女が羨《うらや》ましくてならなかったわけ。たいして綺麗でもないのに、こんないい男と商売して大切にされて。なのに、あたしはこんなデブのじじいにウリやってるのに、フロントにばれないかと心配されて疎まれてるとか思って。それでね、あたし二人の男を交互に見比べて大きな溜息ついてやったんだよ、高速エレベーターの中で。『あーあ』って」

「そしたら？」

「あたしの馴染み客は嫌そうに、一刻も早く下に着かないかって顔して階数の数字が出るとこ睨《にら》みつけてたわよ。例の二人は知らんぷりしてた。ロビーに着くと、あたしはじじいに大きな声で言ってやった。『じゃあ、またね』って。向こうはあたしと一緒のとこなんかホテルのボーイにも見られたくないからさ、知らん顔して何も答えなかったけど屈辱って面《つら》してた。もちろん、それがウリのルール違反ってわかってたよ。だけど、そのいい男には、あたしなりにショックを受けたんだと思う。わかるでしょ、あんたなら。ね、わかるよね？」

女は必死の形相でカズミの同意を求めた。仕方なくカズミは頷いた。自分なら、どんなにいい男がいても、この女のような振る舞いもしないし、期待もしないことは分かっていた。

「で、あたしは客と別れて裏の駐車場のエレベーターにまわった。例の男は女連れだったけど、もしかしたら車で来てるんじゃないかと読んだから。そしたら、会えるかもしれないじゃん。読み通りだった。男は一人で出て来た」

「声かけたの？」

「違うんだよ、それが。あっちから声をかけてきたの。『さっき大きな溜息ついてたね』って。『聞こえたの？』って答えたら、何も言わないで笑ったんだよ。その笑い顔が素敵で、あたしは見惚《みと》れてた。そしたら、『車で来たから送ってあげようか』って言った。あたしは嬉しくてさ。ああ、今まで男って全然好きじゃないって思って生きてきたけど、もしかしたら、そうじゃなかったのかもしれないってまた思ったんだよ」

女はそう言うと、口を噤み、またタバコに火をつけた。カズミは急にシャワー音のしなくなったバスルームのほうを振り返った。湯船に浸かってでもいるのか、時々ぴちゃっという水の撥《は》ねる音が聞こえてくる。こんなに長く喋っているのにいったいどうしたんだろう。カズミは不安になって女の横顔をちらちらと盗み見た。幽霊というのは、もしかしたら本当かもしれないと思いはじめていた。女は青い顔で長い睫毛《まつげ》を伏せ、あまり煙の上がらないタバコの火をじっと眺めている。

「あいつ、そろそろ上がってくるよ。もう出てったら？」

カズミが震える声で言っても、女は目を上げなかった。

「まだ話し終わってないもの」話し終わるまで、男が出てくる訳がないという自信に満ちていた。

「頼むから聞いててよ」

「わかったわよ。それでどうしたのよ」

「車はベンツだった。いつものあたしだったら金持ちだと喜んだはずだけど、その日は何となく変な感じだった。つまり、その男を客として考えられない訳。一人の男として考えているから、いつもの値踏みがまったくできなかった。そしたら、その男がこう言ったんだよ。『これから付き合わない？　お金たくさん払うから』って。ちょっとがっかりした。あたし何を期待してたんだろうって思ってさ。だってホテルのエレベーターの中で、すでにあたしがウリやってるってバレバレだった訳じゃない。それなのに、あたしは気取ってやがったんだからさ。お笑いじゃない。それでね、いいわよって言ったら新宿の汚いラブホテルに連れて来られた」

「まさか、ここじゃないでしょうね」

カズミの問いに女は答えなかった。

「部屋に入った時、あたしはあまりの惨めさにがっかりしてた。あっちの商売女は高層ホテル。あたしはこんなラブホテル。がっかりして口を尖《とが》らせたら、男はそれをしっかり見てたのよね。いきなり、殴られた。『この淫売！』って怒鳴られて。あたしはベッドの端まですっ飛んでって、そこの窪《くぼ》みに落ちて壁で頭を打った」

女はカズミの腰掛けているベッドの横の窪みを指さした。思わず目を遣ると、汚れたビニールクロス張りの壁が少しへこんでいるように見えた。カズミはおずおずと聞いた。

「どうしていきなり殴るのよ」

「そいつも女が嫌いだったのよ。あたしが男を嫌いなように。そして、あたしの父親みたく憎しみだけで生きていて、女が嫌いだからいつも復讐しようとそのきっかけを探していたんだよ。あたしがエレベーターの中で、そいつのほうがいいって露骨に馴染み客を馬鹿にしたから、娼婦の分際でって怒ったんだよ」

「まさか。そんなこと関係ないじゃない」

　女は肩をすくめた。

「だけど、そいつの理屈じゃそうなんだよ。あんたにもウリをやる理屈があるみたいにさ。つまり、〝戦争状態〟だった訳よ。あたしがふらふら起きあがると、そいつはあたしを犯したあと、首を絞めた」

「サディストだったの？」

「もっと悪いよ。人殺しだったんだ」

　カズミは息を呑んだ。鳥肌がざわっと全身に立つのを感じた。しかも、膚《はだ》の粟粒が大きくなり、ひとつひとつが震えるのが分かるほどだった。女は気の毒そうに、カズミの怖がる様を見て言った。

「だからさ、早く帰ったほうがいいよ。あんたもあたしみたいになる前に。あたしはまだ、あんたの座ってるベッドの底板とマットの間に入ってるんだからさ」

　女はそう言うとふらふらと立ち上がり、入り口のほうに向かったらしかった。ベッドに腰を下ろしていたカズミは感電したように床の擦り切れたカーペットの上に転げ落ち、それからこわごわとベッドを眺め上げた。その男と出会ったのはつい一週間前だったという女の話が蘇《よみがえ》り、次いでさっきから時々鼻を突く悪臭のことを思い出した。最早《もはや》、振り返らなくても女の姿が部屋にないことはわかっていた。だが、女はまだここにいる。カズミはカーペットに手をついてゆっくり立ち上がった。恐怖を押し殺してベッドを凝視する。すると、乱れたシーツの下から、横たわった女の輪郭が現れ出《いで》てくるような気がした。O脚の足を無理矢理伸ばされ、金色のマニキュアが剝げかかった指を曲げ、暗紫色の口紅を塗った唇をぽかんと開けた姿。半眼から覗く瞳は空洞で何も見ていない。マットレスと、何人もの男と女の体重に押し潰された女。それは自分だ、とカズミは思った。

バスルームの水音が急に止まり、客の男の声がした。

「ねえ、延長してもいいかい」

カズミは掠れた声で答えた。

「お金ちゃんと払ってくれるならいいよ」

返事はない。カズミはベッドに仰向けに横たわった。女と同じように顎を上げ、指を曲げる。悪臭が強くなった気がしたが、〝戦争〟のにおいなのだから仕方がない、とカズミは目を堅く閉じた。

june bride

六月の花嫁

スクリーンには、貴子の子供の頃からの写真が次々と映し出されていた。プールで遊ぶ赤ん坊の貴子。七五三の晴れ着姿。小学校の入学式。どれも山のようにある写真の中から選ばれたはずの極めつけばかり。皆、愛らしかった。ここで何か言わなければならない。健吾は貴子の耳元で囁《ささや》いた。

「可愛《かわい》いね」

貴子の髪に挿してあるカスミ草に頬が当たった。カスミ草は変な臭いがする。そんな関係のないことを思う。

今日は、朝から心ここにあらずの状態だった。一生に一度の結婚式だというので逆上《のぼ》せたのではない。これでいいのか、本当にいいのか。それぱかり考えていたからだった。

見合い話が持ち込まれたのが、昨年の十一月。会ってみて、貴子とならうまくやれるのではないかと考えたのは事実だ。容姿は平凡だが、おとなしくて控えめ。結婚願望の強い次女。二十五歳。貴子のほうも、健吾は「条件的に最高」と思ったという。長男だが、両親は姉夫婦と一緒に暮らしているし、公務員で、顔もまあまあの二十六歳。互いに似合いの安全牌《パイ》を選んだというわけだ。

「ジューンブライドが夢だったの」

といういう貴子の強い希望があって、六月に式場が確保できることがわかると、それからはあっという間だった。出会ってたった半年では、深く知り合う機会も時間もそれほど多くはない。だから、健吾も招待客と同様、貴子の幼い頃の写真を初めて見るのだった。

「わあ、可愛いじゃない」

今度は貴子が囁き返す。健吾の番だった。二歳違いの姉のブラウスを着た健吾。ウサギの縫いぐるみを抱いた健吾。幼稚園でピンクの弁当箱を広げている健吾。

「姉さんのお下がりばっかりだな」

「いいじゃない。経済的で」

真っ白に塗られた顔と首。真っ赤な口紅。念願の有名ブライダルサロンで誂《あつら》えた、ピンク地に金糸の刺繍《ししゅう》の豪華なお色直しのドレス。今日は完璧に美しい貴子が幸せそのもので微笑《ほほえ》んでいる。

結婚式ってこんなものか。主役の健吾は現実感の失せた目で宴会場を眺め回した。披露宴も終わりに近づいて、カラオケや親戚の子供たちのバレエなどが次々と披露され、場内は和やかな雰囲気に包まれていた。

「それでは、新郎新婦によるご両親様への感謝の花束贈呈です」

拍手が湧き起こり、健吾と貴子は案内係に先導されてしずしずと壇上から降りた。入り口で畏《かしこ》まった二人の両親が涙で目を潤ませている。それを見て、貴子が白く長い手袋の指先でそっと目元を拭った。形式という鋳型《いがた》に見事に塡《は》め込まれている。健吾は、ここから逃げ出したいと密《ひそ》かに願っている自分に気がついた。しかし、逃げることはもうできなかった。

新婚旅行先のイタリアから帰って来ると、健吾は早くも貴子にうんざりしていた。

イタリアでしたことと言えば、買い物とグルメ。健吾は足を踏み入れたこともないブランド店に行く先々で連れ込まれた。そこで、貴子は友達に頼まれたバッグや財布を買うためにカタログとリストを取り出し、これを二つ、あれを三つ、と買いまくった。荷物は当然、健吾が持たされる。

夜は夜で、パスタはこのレストラン、トスカーナ料理はここ、とガイドブックを片手に精力的に歩き回り、初めて海外に行って腹を下していた健吾を気遣う優しさもゆとりもなかった。成田に着いてみれば、買った物はほとんど貴子とその友人の物ばかりで、仲人や両親にさえ土産はない始末。

おとなしくて控えめだと思っていたが、とんでもない間違いだった。ほとんど主導権を取られていた新婚旅行を思い出しながら、健吾は傍らで眠っている貴子の顔を見つめる。貴子は熟睡していた。健吾は枕元の時計を眺めた。午後十一時半。健吾はそっとベッドを抜け出した。

コードレスホンを持って隣の部屋の隅に行き、暗記している番号を押す。コールが三回鳴ったところで、相手が出た。健吾は小さな声で言った。

「もしもし、中田さんですか。雅義君いますか」

「俺です。ケン？」

若い男の掠《かす》れた声が聞こえてきた。

「ああ、マサ。久しぶり」

この声が聞きたかったのだ。健吾はほっとして相手の家の物音に耳を澄ませた。かすかに、遠くの電車の音が聞こえてくる。たった十日間電話しなかっただけなのに、それがひどく懐かしい。

「新婚旅行どうだった」

「どうもこうもないよ。疲れた」

「何に疲れたのさ」

「女って買い物好きなんだね。驚いたよ」

雅義はへへっと笑った。「何だ、買い物か」

「何だじゃないよ。ローマのヴィトンじゃ、入場制限してて並ぶんだぜ。並んでるの日本人だけで恥ずかしくてさ。やっと入れたら、店員は感じ悪いしさ。あいつがカタログ出して見せると、明らかに馬鹿にして鼻で笑いやがんの。それでさんざん待たされて、やっと奥から一個持って来るんだ。全部買うのに一時間以上かかったよ。何でこんなことまでされて買わなきゃならないんだかわかんなかったよ。それなのに、あれが買えて良かった、とか言って喜んでるんだぜ。プライドないのかと思った」

「奥さん、ブランド好きなんだ」

「らしいね」

「そういう人が良かったのかよ?」

雅義はからかうように言ったが、その声音に非難が込められている気がした。

「だって、わからなかったんだもの」

「ふつう、わかってから結婚するんじゃないかな」

健吾は答える代わりに大きな溜息をついた。電話から伝わったらしく、雅義は同情の声を上げた。

「悪い悪い。ケンの場合は特別だもんな」

「高校生にそんなこと言われちゃどうしようもないよな」

「まあね」と笑う。

「ところでマサのほうはどう? 変わりない」

「うん、戸田で試合あってさ。ボロ負けだよ」沈んだ声を出した。

「そうか。でも、体動かしてるんだから逞《たくま》しくなるよね」

健吾は県立高校のボート部に入っているという雅義の姿を思い浮かべた。だが、それは想像でしかない。まだ一度も会ったことはなかった。

「ね、背は何センチだっけ?」

「俺? そんなにでかくねえよ。前に言ったじゃん。百七十一。体重六十八だって」

「いいなあ」

「何がいいんだよ」

「いや、なんか健康そうでさ」

「ケンは？」

「俺は百七十五の六十二だってば」

「そっちのほうがいいよ。スリムで」

「スリムはもてないよ」

「それよっか、ケン、初夜はどうしたんだよ」聞きたくてたまらないらしい。

「ああ……」と健吾は寝室を窺《うかが》った。規則正しい寝息が聞こえる。「聞きたい？」

「うん、話せよ。どうだった」

雅義は好奇心に満ちた明るい声でせかす。

「大丈夫だよ。だって俺、高校の時、女と付き合ってたって言ったじゃない」

「言ってたね」

「だからさ、それは平気だったんだけどさ……」

「何だよう。話せよ」

雅義はもっと聞きたがった。だが、さすがに健吾は隣の部屋で寝ている新妻が気になり、それ以上言葉が出ない。

「今度、あいつがいない時にね」

「ふうん」雅義はがっかりした様子だったが、すぐに話が変わった。「それよっかさ。俺、最近落ち込んでるんだよ」

「何、どんなこと？」

雅義の相談相手になれるのは嬉しい。ほっとして健吾は聞き返した。

「前にかっこいい先輩がいるって言ったことあるでしょう」

「ボート部の？　どんなタイプ？」

「がっちりしてて髪短くて、ちょっと長瀬入ってる」

「そう、マッチョな長瀬だよ。ボートやってるんじゃ日焼けしててマッチョなんじゃない」

「そう、ＴＯＫＩＯの長瀬？　ボート漕《こ》いでると、筋肉が浮き上がるじゃん。ずっと漕いでるとＴシャツが汗で濡れてきてさ、それがだんだんはっきり見えてきてさ、胸がきゅっと痛くなるんだよ」

その説明に健吾は息を呑《の》んだ。しかし、それは当の雅義もそうであろうという想像からだった。

「かっこいいね」

「いいんだよ、すごく。でも、そいつが冷たいんだ」

「粉かけてみたの」

「みたけどさ」

「ノンケなのか」

「たぶん」憂鬱《ゆううつ》そうに雅義は低くつぶやく。「可愛い女が好きなんだよ」

「ねえ、マサ。そういう奴ってもてるから自信満々でしょう。だったら、粉かけたりしちゃ駄目なんだよ」

「え、どうすりゃいいの」

「俺も経験あるけどさ、そういう奴には、こっちもできる奴だなって一目置かせるしか手はないんだよ」

「そうかあ」

しみじみと雅義はつぶやいた。健吾は先輩風を吹かせて一時間近くもアドバイスをし、名残惜《なごり》しく電話を切った。

電話を元の場所に戻すと、薄暗い寝室に入る。ぴったりくっついた二つのベッド。貴子が健やかな寝息を立てている。健吾はさっき雅義に話せなかったことを思い返した。

貴子は処女だったのだ。ジューンブライドが夢だという女なのだから、当然と言えば当然なのかもしれない。しかし、新婚旅行での世慣れた様子を見てしまうと、それはひどくアンバランスなことに思えてならない。

「あたし、初めてなの」

挙式したホテルの部屋で、面と向かって言われた時は正直、鼻白んだ。だが、貴子にとって、処女で結婚することは人生の目的でもあったらしい。

「付き合ってた人いなかったの」

「いたけど、それだけは結婚まで取っておきたいと思って」

「そうか。嬉しいよ」

とは言ったものの、健吾は責任を感じてうろたえた。その夜、何とか義務を果たした後、健吾は自己嫌悪に陥り、安易に結婚した自分を呪った。

健吾は同性愛者だ。そのことに気づいたのは、高校生の時だ。女の子と付き合っていたが少しも楽しくなかった。鬱陶《うっとう》しいものだと思った。男同士で話しているほうが楽しかったし、性行為もずっといい。

自分の本当の姿を世間から隠しておきたいのなら、偽装結婚しかないと思い詰めての結論だったのだが。

健吾がベッドに入ると、気配を感じたのか無意識に貴子が腕を伸ばしてきた。そして、健吾の胸と腕の間にすっぽり入ろうと頭を擦り寄せる仕草をした。その安心しきった様子に、健吾は一生貴子を騙《だま》し続けることを考えて呆然とし、眠れなくなった。


翌朝、台所から聞こえる物音で目が覚めた。とうに起きた貴子が朝食の支度をしているらしい。まるでホームドラマだと健吾は思った。

「あなた、起きないと遅刻よ」

甘い声がする。遅くまで雅義と電話で話し、それからもあれこれ考えて寝付けなかった健吾は無理矢理、目を開ける。家に帰って来た途端、「あなた」か。

「新婚で遅刻すると何か言われるんでしょ」

起き上がると、きちんと化粧をした貴子が目の前に立った。口紅まで塗られている。

「もうお化粧してるの」

「だって、寝起きの顔見せるのやだもん」

旅行先では見せていたくせに、と思いながらも当たり障りのない言葉を返す。

「いいよ。夫婦なんだしさ」

今度は自分にうんざりする。すべて鋳型。それも昔からある、あまりにもありきたりの鋳型だった。その中に同性愛者の自分が塡《はま》ろうとしている。

洗顔を済ませて食卓を見ると、まるで旅館のような和食の朝食が用意されていた。

「俺、朝はコーヒーだけでいいよ」

「えーっ」貴子はがっかりした様子で唇を尖《とが》らせている。

「そのかわり、夜は早く帰って食うからさ」

「そう」と顔が輝いた。「あたし、お料理下手だけど、頑張るから」

「嬉しいよ」

こんなままごとのような生活がいつまで続くのだろう。健吾はすべてに箸をつけると、食べ過ぎの重い腹を抱えて家を出た。職場に着けば、しばらくは新婚とからかわれるだろう。仲人をしてくれた課長にも挨拶に行かねばならない。腹はいつかこなれるが、世間というものが自分の中でこなれることはけっしてない。健吾は煩《わずら》わしさに気が塞いだ。

その日、職場でさんざんからかわれた健吾は帰宅の途に着いた。駅から住宅街をゆっくり歩いて行くと、坂道の上にアパートが見えた。二階の端にある自分の部屋に明かりが灯っている。あそこで貴子が自分の帰りを待っている。そう考えると、健吾は切なくなった。貴子を騙していることばかりにではない。開き直れない自分と、そうまでして生きて行かなくてはならない人生に対してだった。


数日後の夜、健吾は貴子の熟睡を確かめ、いつもの番号を押した。

「もしもし、ケンだけど」

「おいおい大丈夫なのかよ。こんなにしょっちゅう電話くれて」

「大丈夫だよ。寝てるもの」

雅義は立って窓を閉めたらしい。急に騒音が聞こえなくなり、雅義がぐんと間近にいるように感じられた。雅義が声を潜める。

「今日はした？」

「何を？」

「エッチ」

「しないよ。初夜にしたきりだよ」

「駄目だよ。しなくちゃ。女はいつもやられたいんだからさ」

「ガキのくせに何言ってんだよ」

健吾はむしゃくしゃして、それから悲しくなった。実は、貴子と気まずい思いをしたばかりだった。

健吾が風呂から上がると、貴子がそばに来て囁いた。

「あれ終わったからね」

それが生理のことだとわかるのに、しばらく時間がかかった。また、貴子が自分を誘っているのだと気づくのにも、もう少しかかった。健吾は慌てふためき、聞こえないふりをした。貴子はその場に立ったまま返事を待っていたが、健吾が何も言わないので傷ついたように台所に入って行った。貴子の狭い常識では、新婚の夫とは妻を求めて止《や》まないものだと考えているに違いなかった。それに合わせてやらなくてはならないと思いながらも、貴子との性行為はなるべく避けたい自分がいる。

健吾は自分を偽るのがどれほど難しいか、やっとわかった気がした。このままいけば、離婚という羽目になるかもしれない。世間からの逸脱、それこそが健吾の一番恐れていることではなかったか。


急に静かになった健吾に雅義がのんびりと聞いた。

「ね、どうしたんだよ?」

「ねえ、マサ。エッチしてくれないかな」

思い切って健吾は切り出した。

「俺に?　電話で?」

「もちろん」

「でもなあ……」

それは契約に入っていないと言いたそうな雅義に、健吾は慌てて言った。

「五千円出すよ」

少し間が空き、雅義が答える。

「それなら、いいよ。だけど、奥さん大丈夫かい」

「寝てるからわかんないよ」

「わかった。じゃ、いいぜ。始めて」

健吾は想像の中の雅義をあれこれと描写しはじめた。白いTシャツが似合う逞しい雅義。きらめく水を蹴立《けた》ててボートが進んで行く……。『ボート漕いでると、筋肉が浮き上がるじゃん。ずっと漕いでるとTシャツが汗で濡れてきてさ、それがだんだんはっきり見えてきてさ、胸がきゅっと痛くなるんだよ』

雅義と知り合ったのは、ダイアルQ²だった。一年前のことだ。

「ホモビデオ安く売ります」

という伝言ダイアルに電話を入れると、雅義から連絡があった。手に入れてみると、ダビングした代物でビデオもたいした物ではなかったが、雅義という高校生と知り合ったのは拾い物だった。

「きみ、何してるの」

「俺、県立高校に行ってる。二年」

「ホモに興味あるの」

「いや、一応ノンケなんだけど、好きな先輩もいることはいるんだ」

自分と同じだと健吾は思った。自分もそうだった。高校時代は、女とも付き合い、同性にも憧れ、混沌としながらも自分の本質が露呈しはじめた時期だ。一生の分岐点となった時期といってもいい。

「男に興味はあるわけだ」

「うん、先輩とかいいなと思って」

「彼女はいるの」

「付き合いがないわけじゃないけど、決まったのはいない」

たぶん、もてるのだろうと健吾は思った。声は掠れて、物の言い方はぶっきらぼうだが、話し方に知性があった。それにボート部だという肉体の匂いにも惹《ひ》かれた。

「あのさ、よかったら僕と電話で付き合わない？」

「電話でってどういうこと？」

「僕が電話するから、話してくれるだけでいいよ」

「ああ、テレパルってやつ。みんなそう言うね」

「他にも誘われたの」

「うん。会ってくれとかね、しつこくてさ」

高校生と知り合う機会など滅多にない。他にもダイアルQ²を利用する寂しい男たちが声をかけるのは当たり前と思われた。自然、口説きも焦り気味になった。

「僕は何も要求しないから」

「ほんと、電話で話すだけでいいんだね」と念を押す。

「そうだよ。ひと月二万でどうかな」

「話すだけで？」雅義は驚いた様子だった。「俺でよければいいよ」

「ありがとう。僕もきみの相談相手になれると思うよ」

「うん。でも、それって毎日じゃないでしょう」

「週に二、三日。勉強の邪魔になるようなら言ってよ」

「わかった」雅義はほっとしたらしい。

「お金はどこに振り込めばいいかな」

雅義は少し考えてから答えた。

「俺、自分の口座持ってないから、姉貴の口座に入れてくれるかい？　番号調べてきて今度言うからさ」

「いいよ」

たぶんこんなことは初めてなのだろう。健吾は、一瞬戸惑ったような雅義の声が可愛いと思った。

二人の電話による交際が始まった。時間はいつも午後十一時から十二時までの間と決めた。だが、話し始めると楽しくて、通話時間はいつも一時間を軽く上回った。週に二、三日と決めたけれど、週によっては毎日掛けることもある。電話料金は毎月三万以上。それに二万円を雅義に払っているわけだから、健吾はこの交際に月五万以上の金をつぎ込んでいることになる。それでも、まだ同性愛に染まっていない若い雅義と話すのは楽しかった。健吾は雅義に乞われるままに自分の経験や悩みを話した。

「高校の時に、女と付き合って初めてわかったんだよ。俺はホモじゃないかって。だって、女ってうざいだけだろう」

「どこがうざい？」

「すぐ泣くし、頭悪いしさ。話っていうとテレビとか芸能人ばっかだろう。話題がないんだよ。ちょっと電話しないと拗《す》ねるしさ。どうして電話くれないのとか責められて。他の女と話していると嫉妬するしさ。ほんと、うざいと思った」

「確かにそうだな」

「男同士のほうが互いによくわかってるからいいよね」

「俺もそうだよ。目と目でわかるっていうか、連帯感があるっていうかさ。あれ痺《しび》れる時あるよな」

「うん」

「ケンは二丁目とか行ったことある？」

「あるよ。ああ、俺の生きる道はここだと思った」

「そのまま行けばよかったのに」

「無理だよ」健吾は声を大きくした。「そうはいかないよ。親だっているし、仕事だってあるし。二丁目で生きるとしたら水商売しかないじゃない。それはできなかったよ」

「ケンは普通に生きたいんだ」

「当たり前だよ。普通の暮らしをして、男も好きで。どうしてそれができないんだろう」

確かに、そのままごく当たり前に生きていければそれでよかったのだ。しかし、雅義と話すことで、健吾はますます同性愛者としての自分を意識するようになっていた。このままでは親を欺《あざむ》くことになる。何も知らない両親が、健吾の結婚を喜んでいるのはわかっていた。また、このことが表沙汰になれば、公務員である自分は職を失いかねない。一生を真っ当な道から大きく外れて過ごす。それを考えると恐ろしかった。

密かな志向を持つ者は、その深さの分だけ世間との齟齬《そご》を強める。齟齬が大きくなると、なおいっそう、それを隠しておきたいと願うのは不思議なことだった。


「気持ち良かった?」

雅義の声が耳元で聞こえる。健吾ははっと我に返った。

「ああ、ごめんね」

「いいよ」

しかし、雅義は少し面倒臭そうだ。健吾は慌てて言い訳した。

「こんなこと今度だけだよ」

「うん。奥さんにばれると面倒だろう」

健吾は思わず後ろを振り向いた。寝室からは何の物音もしない。

「だいじょうぶだよ」

「だけどさ、こんなことといつまで続けるつもりなんだよ。もういい加減やめるか、奥さんに告白したらどう」

「それはできないよ」

「どうして」

「それは……」

健吾は絶句した。どうしてできないのだろう。なぜ、自分は同性愛者として開き直れずに偽装結婚までしたのだろう。雅義が静かな声で言った。

「俺さ、ちょうどホモの入り口に立ってるわけじゃん」

「そうだね」

「だけど、ケンを見てるとさ、やっぱやばいな、女を好きになったほうがいいと思っちゃうよ」

「そうか。戻れるなら戻ればいいよ」

健吾はそう助言したが寂しかった。自分を捨てて行ってしまわないでほしい。そこまで言いたかった。しかし、健吾は黙っていた。

翌朝、貴子はいつになく不機嫌だった。

「ねえ。あなたゆうべ夜中に誰と喋ってたの？」

「ゆうべ？」

健吾の声は震えた。あれを見られたのだろうか。

「そう。夜中にぼそぼそ話し声がするからびっくりしたわ。あれ電話でしょう。前にも何回かあった」

「誰なの？」

知っていたのか。健吾は息を詰めた。急に黙った健吾に貴子は畳みかけた。

「ごめん。寝られなくてさ、大学の後輩と話してた」

「女の人？」貴子の目が尖《とが》った。

「いや、男だよ」

「その人結婚式来てた？」

貴子の鋭い追及に健吾はたじろぐ。

「いや、来なかった。旅行中だったから」

「なんていう人？」

「中田雅義」思わず名前を口にする。

「クラブの後輩？」

「いや、ゼミだけど。どうしてそんなに知りたいの」

「別に。仲が良さそうだから。それに電話代も勿体《もったい》ないと思ったから」

貴子は不満そうにコーヒーを飲んでいる。健吾は妻の仏頂面を眺めながら、出勤するために立ち上がった。しかし、腹を立てていた。なぜ貴子に遠慮しなければならないのだろう。どうして自分の交友関係まで妻に報告しなければならないのだ。保護者じゃあるまいし。高校時代に付き合っていた干渉がましくて鬱陶しいガールフレンドの顔が脳裏に浮かんだ。男同士は気を遣い合うし、優しい。だが、女は図々しく無神経だ。健吾は貴子に、いやすべての女に憎しみすら覚えた。

今夜も雅義に電話してやろう。でないと、一生貴子の尻に敷かれることになる。ただでさえ自分を偽って暮らしているのに、そこまで妻に譲歩することはない。健吾は玄関のドアを乱暴に閉めた。


「今日はすごく眠いわ」

倒れ込むようにベッドに入った貴子がたちまち寝息を立て始めた。睡眠薬をこっそり風呂上がりのビールに入れて飲ませたのだった。健吾はベッドの横に立ち、しばらく様子を窺っている。やがて、貴子の睡眠が本物だと知ると電話を取った。

「もしもし、雅義君いますか?」

すると、戸惑ったような老人の声が聞こえた。

「うちには雅義という人はおりません」

「すみません」

謝って切ったが、それほど不思議には思わなかった。おそらく、雅義という名前は偽りなのだ。それは何となくわかっていた。前にもこんなことがあったからだ。その時は、母親らしい声が出て、「お間違いでしょう」と言って切ったのだ。

雅義は本当は何という名前で、どんな高校生なのだろう。一度会ってみたい。健吾は前の日の電話での行為を思い出し、体が熱くなるのを覚えた。いつの間にか、恋に近い感情を抱いている。

十二時近くに健吾は思い切ってもう一度電話をした。

「はい、もしもし」

やや性急に喋る、よく馴染《なじ》んだ雅義の声だった。

「ああ、マサ。俺だけど」

「ケンか。さっき電話しただろう」

「したよ。雅義なんていないって言われた」

「じいちゃんだからぼけてんだよ」

母親らしき人にも以前言われたことがあるとは言わなかった。

「なら、いいけど」

雅義の部屋から何か物音が聞こえてきた。しのびやかな笑い声。

「誰かいるの？」

「ああ、客が来てんだよ」

「女の子？」

「まあね」

健吾は落胆した。一方で、何とか雅義を引き留めなければならないと焦っていた。このままでは自分は孤島に暮らすようなものだ。その寂しさから何とか抜け出さなくてはならない。さしずめ雅義は定期的に孤島に立ち寄る船だった。

「彼女出そうか」

断る間もなく、すぐに女子高生らしい女が出てきた。

「もしもし。あんた、マサの何？」

健吾は素早く電話を切ると、そのまま薄暗い部屋の隅に蹲《うずくま》った。寝室からは薬による不自然な鼾《いびき》が聞こえてくる。貴子を薬で眠らせてまで自分はいったい何をしているのか。情けなかった。

翌朝、貴子は定時に起きられなかった。いつまでもベッドの中でうとうとしている。

「具合悪いの」

健吾は呵責《かしやく》を感じながらも、さりげなさを装って聞いた。

「うん。……すごく眠いの。変だわ」

「ビール飲んだからじゃない」

「でも、あたし強いのよ」瞼《まぶた》を閉じたまま、回らぬ口調で貴子は訴えた。「変だわ。なんだかだるいし」

「寝てなよ。勝手に行くから」

「うん、ごめん」

その日、帰ってくると貴子は終日具合が悪かったと訴えた。

「こんなこと初めてなのよ。あなた、あたしに飲ませたビールはどこの？」

健吾はビールの空き瓶を見せた。貴子は盛んに首を傾《かし》げている。健吾は内心ひやひやしていた。

もうこんなことはするまいと思ったが、そうすれば雅義を失いかねない。どうしたらいいのかわ

からなかった。

数日後の日曜日、貴子の両親が遊びに来た。

貴子が母親と近所に買い物に行くと言いだしたので、健吾は妙に思った。なぜなら、午前中、健吾と貴子は二人でスーパーに出かけ、食事の準備を済ませていたからだ。

二人がいなくなると、「健吾さん」と、ソファに腰掛けていた義父が改まってこちらを向いた。

「言いにくいことだけど」

「何ですか」

健吾はビールを出そうと、冷蔵庫のドアを開けかけた手を止めた。義父は老眼鏡の奥のいやに大きく見える目を逸《そ》らしながら言った。

「きみは結婚前に付き合っていた人がいるんだろうか」

健吾は凍りついた。

「そんなことはありませんよ」

「そうでしょう。あんたは堅そうだし、そんな噂もないと聞いていたから安心していたんだけど。夜中、貴子が寝た後、女と長電話しているらしいと言うんで心配になってる」

そんなことを父親に言いつけていたのか。健吾は愕然《がくぜん》とした。

「たまに学生時代の友人と話しますけど、女の人じゃないです」

「そうか」

そうは言ったものの、義父の疑いは完全に晴れていないらしい。首を捻《ひね》っている。健吾は一応謝った。

「ご心配かけてすみません」

「いや、それならいいんだけど」義父は釈然としない様子で続ける。「ただねえ、こんなこと言っていいのかどうかわからないが。貴子が変なことがあったというもんだから気になってね」

「どういうことですか」健吾の脈が速くなった。

「睡眠薬でも飲んだみたいに急に眠くなって、朝も目が覚めないことがあったって」

「疲れが出たんじゃないですか」

「まあそうだと思うけど、その間に健吾さんが女と電話で話しているんじゃないかって気にして」

「女じゃないですよ。ほんとに大学時代の後輩ですから。中田雅義っていう」

「あ、そう」

名前を聞くと、ほっとしたのか義父は肩を下げた。

「ただいまあ」

タイミングを計ったように義母と貴子が帰ってきた。メロンを手にしている。義母の探るような鋭い目つきにあって、健吾は情けなくもうろたえた。偽装結婚などと考えた「つけ」がまわってきたのだ。もう雅義には電話をしないほうがいいかもしれない。しかし、楽しさを思うとなかなか決心はつかなかった。

もう一度だけ。もう一度だけ電話をして、そして一回会う約束を取りつける。それなら諦められる。そして、異性愛者として出直すのだ。健吾はそう決意すると、テーブルの向こう側に座っている貴子の顔を見つめた。貴子は母親に新婚旅行の写真を見せて笑っていたが、健吾の視線を感じてこちらを見た。その目に不信が現れていた。健吾は急に女というものが恐ろしく、そして忌むべき者に思えてきた。

数日間、貴子はすぐに寝ようとしなかった。健吾を見張っているのは明らかだった。健吾は明かりを消して寝た振りを続けた。こうなれば持久戦だと思った。

ある晩、一時近くにとうとう貴子が先に寝入った。健吾は急いで洋服を着ると、思い切って外に出た。アパートを出たところに公衆電話がある。

「はい、もしもし」

すでに寝ていたのか、不機嫌な声の雅義が出る。

「ごめん、遅くに」

「ケンか。どうしたんだよ」

「電話できなくてさ」

「そのことだけど、もうやめにしようや」

雅義から突然言い出されて、健吾は絶句した。

「どうして」

「悪いけどさ。俺、彼女できたんだよ」

「こないだの子？」

「そう。だからやめよう」

「……わかったよ」

「今月分はいいからさ。じゃ」

あっけなく電話は切られた。健吾は電話ボックスのガラス越しに街灯のぼんやりした光を眺めた。これからどうしたらいいんだ。孤島にいるのに、突然、船が来なくなった。雅義からは、新鮮な水や食料が絶えず運び込まれていた。それは生きていく上での必需品だったのだ。

悄然《しょうぜん》と部屋に戻ると、貴子は何も知らずに眠っていた。小さく口が開いている。こんな女と、これからずっと生きていかなくてはならないのか。

「勘弁してくれ！」

自分で選んだことだというのに、健吾は思わず叫んだ。貴子はその声を聞いて、かすかに身じろぎしたが目は覚まさなかった。こういう時に限って起きないのだ。健吾は乱暴にベッドに横たわった。体が弾んだ。憤懣《ふんまん》をどこにぶつけてよいのかわからない。また、この悲しみを心のどこに隠しておいたらいいのかわからなかった。

土曜日、健吾は戸田に出かけた。競艇場の横にボートの練習場があって、そこで週末は練習をしていると雅義が漏らしたことがあった。散歩のふりをしながら、その姿を眺めることができないだろうか。意外に好みのタイプじゃないかもしれない。そしたら諦めもつくだろう。そんな愚にもつかないことを考えている。貴子には仕事だと嘘をついて出てきたことも気を重くしている。

暑い日だった。汗をハンカチで拭いながら、健吾は荒川の水を引き込んだ戸田漕艇場の長い土手の上を歩いた。競艇場の喧噪がだんだんと遠くなるに従って、大学生や高校生がボートの練習をしているのが見えてきた。健吾は思わず駆け出したくなる気持ちを抑えた。いつの間にか、眺めるだけではなく、何とか雅義と話したいと願っていた。

高校生らしい二十人ほどの一団がいた。揃いの白のTシャツと黒の短パンをはいている。シャツの背に、大きなロゴで近所の県立高校の名が入っていた。健吾の胸の動悸が激しくなる。健吾は土手の草を踏んで水際に降りて行った。エイトの練習を終えた部員たちが、皆でボートを引き揚げているところだった。

健吾はその光景を眺めているふりをしながら、耳をそばだてた。

「おい、オール!」

下に落ちたオールを拾えと上級生が命令している。その顔に目を遣った健吾は視線を外すことができなくなった。雅義の話を思い出したからだ。憧れの上級生はアイドルにそっくりだと言っていた。がっしりした体軀《たいく》に短い髪。日焼けした顔。テレビに出てもおかしくないほど似ている。

「だらけんなよ！　おまえら！」

上級生は、暑さと過激な運動で綿のように疲れた部員を容赦なく怒鳴った。自信家らしい態度や仕草が、雅義の話を裏づけている。

健吾は素早く辺りを窺《うかが》った。ここに雅義がいるはずだった。自分が一年間、ほとんど毎晩のように電話し続けた雅義が。いつしか恋い焦がれるようになった雅義が。

「誰か水持ってこい！」また上級生が怒鳴った。「中田ぁ、いるかぁ！　誰でもいいぞ。水持って来いよ。冷えた奴！」

はっと顔を上げた少年がいた。健吾はその顔を見た。ややずんぐりとした四角い体型をしているが、涼やかな目をしている。彼が「マサ」ではないか。健吾の胸が躍った。彼は俯《うつむ》いたまま、黙々と艇を固定する作業をしている。

「ねえ、きみ」

健吾は思い切って話しかけた。少年は顔を上げた。日に焼けた額に玉のような汗が光っている。

「きみ、中田君でしょ？」

「いや、あいつです」

指さした方向にいるのは、水の入ったペットボトルを何本も重そうに抱えて、土手を降りてくる女子マネージャーだった。少し茶色に染めた長い髪をお下げにし、Tシャツの袖をまくっている。肉付きのいい、どこにでもいそうな女子高生だった。

「えっ」と健吾は怪訝《けげん》な顔をした。「いや、女の子じゃなくて」

「でも、中田ってあいつしかいません」

「違うよ。男の子だよ」

その時、当の女子マネージャーがそばまで来ていた。

「何かあたしに用ですか」

声は男のように低く掠れて、言い方はぶっきらぼうだった。健吾は驚きのあまり、口が利けなかった。

「きみ、雅義君のお姉さん？」

「こいつ弟なんかいないっすよ」

まだ横にいた先ほどの男子生徒が口を挟む。

「あのう……」

女子高生が困ったように言いよどんだ。腕に抱えたペットボトルを、喉が渇いて待ちきれない生徒たちが取っていった。急に手が空になった女子高生は、水滴で濡れた手をショートパンツの裾《すそ》で拭いた。汗を噴き出させた男子生徒たちが興味ありげに健吾と女子高生を取り巻いた。弟なんかいない、と言った男子生徒が心配そうに寄ってきたので苛立った健吾は一喝した。

「話あんだよ。あっち、行けよ」

情けないことに、あっけなく高校生は散ってゆく。女子高生は悔やしそうに唇を噛んだ。

「僕、ケンだよ。きみ、マサだろ」

「……うん」

「おまえさ、大人からかうなよ」

健吾は思わず凄《すご》んだ口調で言った。嚙んだら苦い味がしたとでもいうように、「マサ」は口の中で舌を転がし渋い顔をしている。眉は細くしているものの、顔はまだ幼かった。

「すみません。まさかばれると思わなかったんで」

「何でこんなことしたんだよ」

健吾に詰め寄られ、「マサ」は少しずつ後ずさった。白のルーズソックスが土埃《つちぼこり》で汚れている。会いたくて堪《たま》らなくて来たのに、こんな女子高生に騙《だま》されていたとは。何でも打ち明けていた自分が恥ずかしく、これまでの一年間を思うと涙が出そうだった。

「あのう、最初は生身のホモって、どんな人か知りたかっただけなんだけど」

「ただの人間だよ。そうだろ」

「……はい」

「つまり、好奇心か」

「あとはからかうのが面白くなっちゃって。でも、それだけじゃなくて恋愛のアドバイスとか、ためになったし」

その言葉に自分も興奮したのだ。情けない。健吾はその場にいたたまれなくなった。

「そんなに面白いかね」

健吾は苦笑した。その中に潜む苦さに気づかず、「マサ」はつられて笑いを浮かべる。そんなに面白いかよ。そんなに笑えることかよ。打ちのめされた気がして、健吾は土手を駆け登った。女たちにはうんざりだ。家に戻って貴子に告白してしまおう。さよならだ。どこへでも行くがいいよ。

そう決めた途端、自分と結婚してしまった貴子の不幸に気がついた。ありきたりの結婚に憧れた俗物の貴子と自分は同じなんだということにも気がついた。自分が本当に望む世界は、電話の中だけにしか存在しなかったということにも。

spider web

蜘蛛の巣

るるる、と虫の音が遠くから聞こえてくる。

目を開けて耳を澄ますと、電話のコールだった。いつの間にかうたた寝をしていた。陽は変わらず高い。うたた寝といってもほんの十分程度だったらしい。だが、洋輔のブルーのベッドカバーの上に、小さな涎《よだれ》の染《し》みができていた。

指でそこを擦《こす》ってからゆっくりと寝室を出た。電話はまだ鳴り続けている。せっかく静かな休日を過ごしているというのに、いったい誰が電話をしてきたのだろう。いっそのこと、このまま知らん顔してしまおうか。迷った末、私は思い切って電話を取った。もちろん、いつものように愛想よくはできなかった。

「はい……」

「もしもし、谷川さんのお宅ですか。百合絵さんいらっしゃる？」

聞き覚えのない女の声だった。一瞬躊躇《ちゅうちょ》した後、私は答えた。

「はい、私ですが。どちら様でしょう」

「ツチイです」女は早口に名乗った。ツチイともチチイともツツイとも聞こえた。が、私は聞き返さなかった。口調が馴れ馴れしかったので、新手のセールスかと思ったからだ。黙っているとツチイという女はこう言った。

「わからない？　あたし、K女子高でクラスメイトだったのよ」

「えっ……そうでしたっけ」私は十七年前に卒業した高校の同級生たちの顔を思い出そうとした。が、ツチイという名前には覚えがない。「すみません。ちょっと思い出せなくて。同じクラスでした？」

「そうよ。でも、覚えていないの無理ないかも。あたし、三年で転校しちゃったもんで」

「そうですか……」私が記憶の壺の中を探る間、ツチイはしばらく沈黙して待っている。だが、ツチイという生徒を思い出すことはできなかった。「ごめんなさい。どうしても思い出せなくて」

「いいのよ。ちょっと懐かしくなったもんで、名簿見て電話しただけなの」

転校したのにどうして名簿を持っているのだろうと不思議に思った。しかし、問い詰めるのも変なので私は黙り、それから遠慮がちに尋ねた。

「あのう、もしかして結婚して名字が変わったんじゃありませんか。旧姓はなんておっしゃるのかしら」

「同じ。だって、うち婿養子だから」

「……そうですか。余計なこと言ってごめんなさい」

「いいえ、別に。ところでご主人、O物産にお勤めなんでしょう」

「ええ。よくご存じね」

「ほかのクラスメイトからいろいろ噂は聞いてるもの。あなたもO物産に入って社内恋愛、社内結婚だったのよね。お子さんは二人のお嬢さん。上は小学校五年でしょう。下のお嬢さんは三年。二人ともよくできて、可愛《かわい》いお嬢さんなんですってね。ほんと、お幸せよね。ところで上のお嬢さん、受験なさるんでしょう。塾はどうなさった？　学習能力会に入れたって本当？」

「どうして、そんなことまでご存じなの」

「だから言ったでしょう。いろいろ噂は耳に入って来るのよ」ツチイは時間に追われるように忙《せわ》しなく問い詰めてきた。「それで学習能力会はどう？」

塾の評判を聞くのが目的だったのか。

「娘に合っているみたいですけど」

「そう。優秀なのね、お嬢さん」

ツチイは羨《うらや》ましそうに言った。なぜか、うちはとかく他人に羨まれてしまう。

「お宅のお子さんはお幾つなんですの？」

「うちも小五なのよ。でも、うちの娘には学習能力会は無理ね。どうも、難しすぎるらしくて、本人も行きたくないって言ってる」

「どちらにお住まいなの？」

「練馬なの、上石神井《かみしゃくじい》。あなたのうちのそばじゃない？」遊びに来られては困る。私は曖昧《あいまい》に答えた。「それでね、うちは最初は中進塾に入れたのよね。知ってるでしょう、中進塾。ところが、あそこじゃいったん下のクラスからスタートすると、上のクラスに上がるのは大変なのよ。ほんとなの、これは。だから、子供も嫌がってね。いつまでもできないクラスじゃいや、なんて泣かれちゃって。それで今は近所の小さな私塾みたいなところに入れてるの。でも、そこじゃどうしても情報集めに差が出ちゃうのよね。大きな塾とは違ってね。ところで、どこ狙ってらっしゃるの。S中？　それともY学院？」

塾の話から私立中学の話になり、ツチイのお喋りは止まらなくなった。最初は懸命に相槌《あいづち》を打っていた私も次第次第に面倒臭くなって、受話器を耳に当てたままそっぽを向いていた。するとリビングルームの白い壁が目に入り、その殺風景さに胸が詰まった。あの壁は冷た過ぎる。夫の洋輔もどうして何も言わないのだろうか。私は壁に絵でも掛けてみようと思いついた。どんなのがいいだろうか。つい先日、道玄坂のギャラリーで見た東欧の画家のリトグラフを思い出した。黄色をバックに緑の模様が描かれた美しい絵だった。あれならいい。幾らだっけ。九万くらいだった……。その思いをツチイが遮った。

「ま、塾の話はこれくらいにして。ね、谷川さんて誰と仲良かったんだっけ？」

「あたし？　E組の藤原孝子って人」

「藤原さんねえ……覚えてないわ」とツチイが思い出を絞り出すようにねちっこく言った。「その人、名前変わったの？」

「いいえ、彼女は独身だからそのまんま」

「そう、どんな人だったかしら。覚えてないってことは地味な人ってことよね……」

また別の話が始まりそうな気配がした。

「あ、子供が帰ってきたわ――」と、私は演技した。「悪いけど、また」

「はい、じゃあね。また電話するわ」

ようやく電話は切れた。ほっとした私は女子高の同窓会の名簿を探した。それは電話帳の上に重ねてある。やはり、ツチイという名前は見当たらなかった。今度電話があったら、誰と仲がいいのか聞いてみようと思った。

寝室に戻ると、洋輔のベッドカバーに西陽《にしび》が当たっている。私はさっきつけた涎の染みを探した。ほんの少し痕が残っている。剝がして洗ってしまおうかと思ったが、夕方にそんなことをするのは面倒だった。明日にしようと私は部屋を見まわした。このまま朝まで眠っていてもいいし、夕食の支度もしないで本を読んでいてもいい。何をしていいのかわからないほど一人だけの時間はたっぷりあった。皆は、沼津の洋輔の実家に里帰りしているのだ。一週間後に、真っ黒になって帰って来ることだろう。

私は整理簞笥《だんす》の引き出しを開けてみた。下着が乱雑に入っていた。おやおや、いつの間にこんな入れ方をしていたのだろう。私は一枚一枚ベッドの上に取り出して丁寧に畳んだ。こういうのは好きじゃないのに、忙しさにかまけてだらしなくなってしまったのだろうか。洋輔の引き出しのほうが余程きちんとしているではないか。私は情けない思いで引き出しの整理を始めた。

夜は洋輔のワープロのスイッチを入れてみた。『創作』とラベルに書いてあるフロッピーディスクを入れ、文書をひらいて読んでみる。『彼女の渦巻き』と題した、中途で挫折したポルノ小説があって大いに楽しんだ。生真面目な夫と思っていた洋輔にこんな一面があったなんて驚きだ。

そんな思いもあって、今夜は洋輔のベッドで眠ることにした。

翌朝、今日は壁に掛ける絵を買いに行こうと思い立った。ワードローブを開けたら、いつ買ったのか覚えのない黄色のサンドレスがあった。着てみると少しきついし、派手すぎる。何だかむかついて、私はサンドレスのきつい袖ぐりを思いっきり破いてしまった。が、すぐに憂鬱になった。せっかくの休みにこんなことをするなんて……。

でも、道玄坂で例のリトグラフを見たらすっかり気が晴れた。題は『蜘蛛の巣』。模様かと思った緑の線は蜘蛛の巣だったのだ。私は、子供の頃に濡れた蜘蛛の巣に顔を突っ込んだ時のことを思い出した。雨上がりの庭で皆で遊んでいると自分だけがそんな目に遭ってしまったのだ。あの、顔にへばりつく粘った糸の嫌な感触……。しかし、絵は金色を帯びた黄色が沈んだ色調で美しく、素晴らしかった。うちのリビングによく合いそうだ。しかも、値段は九万五千円のところを八万七千円にしてくれるという。

絵を買って上機嫌で部屋に戻ってくると、電話が鳴っていた。

「はい！」と思わず弾んだ声で出ると、「こんにちは」と昨日の声がした。

「何かいいことあったの。声が弾んでるわよ」

「今帰って来たところなのよ」

「あら、そう。でも、あなたお仕事してるわけじゃないんでしょ？」

責めるような言い方だった。ええ、と私は返事をし、喉が渇いたのでコードレスホンを持って冷蔵庫に直行した。中から缶ビールを取り出し、片手でプルリングを引いた。そして夢中で飲んだ。昼間飲むビールはおいしかった。

「前はご主人と一緒にO物産に勤めてらしたのよね。秘書室だって伺ったけど、エリートよね。羨ましいわ。やはり、社長秘書かなんかでしょう。ああいう人たちの秘書って大変だって聞いたけどどうなの？　あたしの知ってる人なんて、社長さんが糖尿病なんでカロリー計算までしているって聞いたわ。それも三食全部よ。あなたもそういうことをしていたの？　それでいやになって家庭に入ってしまったの？」

とめどなくツチイが喋っている間、私は早くも相槌を打つのを止《や》め、ビールを半分は飲んでしまっていた。買ってきたばかりの絵が包装も解かれないまま、サイドボードに立て掛けられている。早く部屋に合うかどうか見たいのに……ツチイは愚にもつかないことを繰り返している。私は苛立ってきた。

「ねえ、あなた、いったいどなた？　あなたの名前、名簿には載ってないし、あたし、あなたのこと覚えていないのよね。失礼とは思うけど、いったいどなた？」

「だからツチイノリコっていうのよ。覚えてないのは無理ないと思うけど同級生だったわ」

ツチイは怒ったように言った。憤慨する様が見えるような声音だった。

「悪いけど、あたしはどうしてもあなたのことを思い出せないのよ。ねえ、あなたは誰と仲が良かったの。誰があなたにあたしのことをそんなに詳しく教えているの？　あたしもその人にあなたのことを聞いてみるから名前教えてよ」

「ナカジョウさんよ」

それも知らない名前だった。困って絶句すると、ツチイが反撃した。

「ナカジョウキミコを知らないなんておかしいわ。ナカジョウさんはF組であなたと同じですもの。あなたこそ、いったい誰なのよ？」

「何を馬鹿なこと言ってるのよ！」

私の言葉を最後まで聞かずに、突然電話は切れた。明らかにツチイは腹を立てたらしい。切れる寸前に受話器の向こうから、バカ！　という罵声が聞こえたような気がして、私はしばらくぼんやりしていた。他人に嫌な思いをさせられるのは、仕事中だけで十分だった。

ビールを飲み干し、それからようやく気を取り直して絵の包装を解いて壁の前に置いた。すると掛け具を買ってくるのを忘れてしまったことに気付いた。こんなに部屋にマッチする絵なのにすぐに掛けられないなんて。私は悔しさのあまり、爪を嚙《か》んで絵を眺めた。

日が暮れて、部屋が急速に暗くなって行く。絵のなかの蜘蛛の巣が闇に浮かび上がってきらめいた。ツチイって誰なのだろう。ナカジョウって誰なのだろう。顔にへばりつく濡れた蜘蛛の巣の感触を思い出す。私はたまらなくなって両手で顔を擦り上げ、それから沼津に電話をした。

「もしもし」と澄んだ女の声がした。「どちら様でしょう」

「あたしよ」

「あら、どうしたの。元気？　植木のこと頼んじゃってごめんね」

「ねえ、そんなことより、あたしたちの学年のF組にツチイさんて人いたかしら」

「何よ、突然」と彼女は笑った。「そういえば、三年になったばかりの時に大阪に転校した人でそんな名前の人いたかもしれない」

「そうだっけ……」

「そんなこと突然言い出してどうしたのよ」

百合絵が弾《はじ》けるように笑い出した。電話からは賑やかな笑い声が聞こえる。満ち足りた夏の宵が伝わってくるようだ。いつも幸福で悩みなき女、百合絵。私は振り返って絵を眺めた。闇に光る蜘蛛の巣。どうしてこんな絵を買ってしまったのか。留守中の植木の水遣りを頼まれただけなのに、どうしてこんな思いをするのか、いつも私は。

「あなたの身代わりになったの」

「やあねえ、孝子。何言ってるんだかさっぱりわからないよ」

百合絵が絵のなかの黄色い背景を思わせる明るさで笑った。

regarding Mr. Idogawa

井戸川さんについて

二十四年間生きてきたが、きょうほど驚いたことはなかった。あの井戸川さんが死んじゃったというのだから。それも死んだのは先週の土曜の夜、つまりこの空手道場を出た直後だというのだからむなしい。だって、ぼくはそんなことなどつゆ知らず、日曜は風呂掃除をし、月曜からは満員電車にゆられて毎日会社にいき、牛丼やハンバーガーやネギソバなどのヒルメシを食らい、屋上で空手の練習をしては、つぎの土曜の稽古にそなえていたからだ。それも、井戸川さんにおそわるために。ぼくは、井戸川さんが「おっ、おまえ上達したなあ」とほめてくれるのを無上のよろこびとしていたのだ。

そんなことを考えると、きゅうに悲しくなった。井戸川さんにはもう二度と会えない、という単純な事実に気づいたからだ。ぼくは井戸川さんをこころの底から尊敬していた。四十四歳でコンピューターソフト会社を経営、冷静にして沈着。無口でハンサムで頭がよく、空手は初段。男のなかの男、大人のなかの大人。ともかくすごくかっこいい人だった。ぼくがいずれはああなりたいと夢見る男のひとりだったのだ。

「吉田さん、井戸川さんはどうして亡くなったんですか？」

全員による黙禱《もくとう》をささげたあとのいやにしーんとした沈黙をやぶって、ぼくは思わずコーチにたずねた。サラリーマンがほとんどの仲間たちがほっとしてぼくを見る。みんなそれを聞いてみたくてうずうずしていたのだ。

「いや、それがですねえ」と、空手は強いのに声がかんだかい吉田二段が猪首《いくび》をかしげる。「よくわからないらしいんですよ。なんでも、隅田川にかかる橋から落ちたっていうんですよね。死因は水死だそうです」

「事故ですか？」

「いや、それも判然とはしないとか……」

「じゃ、自殺ってことですか？」

ぼくは心臓がとまりそうになる。だって、あの日はいつもとなんら変わりない稽古をしただけだ。いや、それどころか井戸川さんは上機嫌だった。なんでも半年間ずっとやきもきしていたCD－ROMブックの企画が、ようやく大手出版社と契約を交わすところまでこぎつけたとよろこんでいたからだ。「来週、契約書交わすからね、綾部くん。そしたら酒飲みにいこうな。うまい酒飲もうぜ」と井戸川さんは笑い、ぼくはそれをひそかに楽しみにしていたのだ。そんな人間が自殺なんかするだろうか。

「いやいや、ちょっと待ってください。それがですね、自殺と断定するには原因も思いつかないし、遺書もないようです。ただ、落ちたといってもジャケットが橋の上に残されていたらしいんですよ」

「おお、それは変だねえ」

みんなの中央に立って黙禱に参加していた、この空手道場の主、松陰流師範の大塚先生も驚いたようにおっしゃった。それを合図に、いっせいにあちこちで声があがる。

「信じられませんよね」

「あんな機敏な人がなんで」

「自殺なんかぜったいにしないよ」

なかには号泣しはじめた女性もいた。主婦のミドリさんだ。彼女は井戸川さんをずいぶんと慕《した》っていたから無理もなかった。ぼくらも悲しさのあまりこぶしを握りしめ、たちすくんだままだ。あの井戸川さんが、よりによって、そんなわけのわからない死にかたをするとは想像もできない。

「もうお葬式は終わったんでしょうかね。できれば線香の一本でも手向《たむ》けたいもんですが」

冠婚葬祭になると張り切ってしまう、この道場でいちばん古顔の銀行員、手島さんがいいだした。「ぼくも」「私も」とあちこちで声がかかる。しかし、吉田二段がまあまあと制した。

「ひとり暮らしだったんで、お葬式は群馬の御実家のほうで出したときいてます。たぶん、こちらではなにもしなかったんじゃないでしょうか」

ぼくをふくめて何人かのあいだに、「えっ」と声がおき、ひそかな動揺がはしった。なぜなら、井戸川さんは奥さんとふたり暮らしだといっていたような気がしたからだ。

「あれえ、井戸川さん結婚してるっていってなかったっけ?」

年のわりにはおっちょこちょいの手島さんがすっとんきょうな声をあげた。あちこちでそうそう、とうなずいている。とまどったように吉田さんは肩をすくめ、ミドリさんは泣きじゃくったままだ。これじゃ稽古どころか、井戸川さんの追悼集会だ。まあ、そのくらい彼はこの道場の土曜クラスのみなに尊敬され、愛されていたのだ。

「だけどさ」と手島さんがぼくのほうを見た。「これじゃおさまらないよね、綾部くん。ね、そうだろ?」

「ええ。なんかすっきりしませんよ」

と、ぼくは相槌《あいづち》をうった。じじつ、ぼくはこのままではすまさんぞとこころのなかで思っていた。だって、そうじゃないか。井戸川さんはみんなのだいじな仲間なんだから。ある日とつぜん、この世から消えてしまうなんてことは許されない。だいいち、あんなかっこいい人が自殺か事故かわからない死にかたをするわけがない。

「誰かに突き落とされたんじゃないかな」手島さんがつぶやいた。「あいつはいいやつだったからな。誰かが橋のうえで困っていたりしたらぜったいに助けるやつだ。何かあったんだよ。ね、そうだよね」

「そうですっ!」とミドリさんが道着の前を涙で濡らしながらさけぶ。「井戸川さんはほんといい人でした。あたし、あたし……」といったきり言葉にならない。

「ミドリさん、泣かないで」

女子大生が駆けよってなぐさめていたが、そのうちふたりで抱き合って泣きだした。みなもうなだれ、結局、その晩の稽古は中止になってしまった。

「綾部くん、ちょっと一杯どう？」

手島さんにさそわれ、ぼくとミドリさんは道場のそばの「村《むら》さ来《き》」に寄った。道着を脱ぐときゅうにライフスタイルがわかる。都市銀行に勤める手島さんは土曜休みということでゴルフウェア。ミドリさんはプードルが刺繍《ししゅう》してある赤いセーターに、脱色のエラスチック・ジーンズだった。ふたりとも、そのへんを歩いているおじさんとおばさんに変身していた。

「葬式を会社で出さないって変だよな。年商いくらか知らんが、社長だったんだろう。だったら社葬にすべきだよな」

顔を真っ赤にした手島さんがつぶやいた。ぼくはうなずいた。

「そうですよ。それじゃ井戸川さんがかわいそうだ。あんなに仕事熱心だったのに」

「なあ」と手島さんがためいきをつく。「男の最期《さいご》なんて哀れなもんだよ」

「それに奥さんがいなかったなんて、ぼく知りませんでしたよ」

「あらあ、たしかに奥さんはいなかったのよ」と、ミドリさんがなまめかしくいった。「あのねえ、井戸川さんはバツイチでねえ。いまの奥さんとは籍がはいってなかったの。だから、正確にはその人は奥さんじゃないのよ」

「あ。そうなの」

手島さんがはじめて会う人を見るようにミドリさんのほうを向いた。ぼくはその事実にも驚いたが、ミドリさんが井戸川さんの私生活に関してくわしいことにショックを受けた。

「よくごぞんじですね、ミドリさん」

「ええ、彼、よく話してくれたもの」ミドリさんは涙でうるむ目で、ウーロンハイをあおった。「さいしょの奥さんとのあいだにはお子さんがいるのよ。あなたくらいの歳の男の子でね。北海道の大学にいるからなかなか会えないんですよってこぼしてらした。だからあなたを可愛がっていたのよ、綾部さん！」

まったく知らなかった。あの、いつも優しくほほ笑んでいる井戸川さんがそんな気持ちでぼくを見ていたなんて。

「そうかあ、そうだったんかあ」手島さんはしみじみとして涙をにじませた。「会いたかったろうなあ。男は自分の息子に会えないのがいちばん応《こた》えるんだよ」

「じゃ、いま、一緒に暮らしている女の人はどうしたんでしょうか」

「それがね、逃げたんですって。男をつくって」

「えっ！」とぼくら男ふたりは思わず声をあげた。

「そうなのよ。あたしに相談してきたもの。『ミドリさん、ぼくまいったよう。女房が逃げちゃったんですよう』って、あの顔でね」

ぼくは顔をふせた。井戸川さんが家庭的にめぐまれなかったことに思いいたったのではなくて、それでは自殺もありえたかもしれないと考えたからだ。ぼくは井戸川さんという人をきちんと見ていなかったらしい。だが、手島さんはきゅうにしらけた顔になり、ハイサワーを飲み干すとべつの人になったようにすっくとたちあがった。ぼくは声をかけた。

「あ、手島さん。おくやみの件、どうしますか」

「おれ、あした接待ゴルフなんだよ。だからさ、動けないんだ。綾部くん、ここはひとつたのむよ。ね、あいつの会社に電話してきいてみてよ。社葬とか告別式やらないかどうか。そういうのがあってはじめて、こっちもすっきりするもんだしね」

日曜の接待ゴルフがこのこととどう関係するのかわからなかったが、ぼくはおとなしく「わかりました」とこたえた。ミドリさんはまだしゃべりたそうに口をむずむずと動かしていた。

月曜日、出勤するとすぐに、ぼくは井戸川さんにもらった名刺の番号に電話をかけた。

「はい、ブレーンプラネット社でございます」

聞きおぼえのある不機嫌そうな女子社員の声がした。まるでいつもと変わらない。このままぼくが、「井戸川さんお願いします」といえばすぐに、「おお、綾部くんか。いまどこにいる？ ヒルメシいっしょに食うか」と、あの磊落《らいらく》な声が聞こえてきそうだった。

ぼくはにじんだ涙を指でぬぐった。じつをいうと、日曜日は悲しくて泣いてばかりいたのだ。恥ずかしい話だが、こんなに泣いたのは小学生のときに飼っていたハムスターがとつぜん死んで以来だ。

「あのう、井戸川さんが亡くなられたと聞いたんですが、お葬式は会社でなさらないのですか」

「はあ、ちょっとお待ちください」

困ったように女子社員が保留ボタンを押した。聞きおぼえのある「ライディーン」が流れてくる。井戸川さんが好きで、わざわざ入れさせたという曲だった。

「もしもしお電話代わりました」と如才ない声の男が出てきた。「あのう井戸川の社葬ということですが、ご家族の希望で密葬されましたので、うちではとくに考えておりません」

「そうですか。とつぜんに聞いたものですから、ご焼香だけでもと思ったのですが」

「いやいや、お気持ちだけで……」と男は忙しそうにいった。はやく切り上げたいという意図がみえみえだった。思わずぼくはこういっていた。

「そちらの会社は井戸川さんのものではないんですか」

だって、井戸川さんはたしか、自分がつくりあげた会社だといっていたはずだ。それにいくらなんでも社長が死んで一週間で、社員がそんな失礼な態度を取るべきではない。道場だったら『超無礼者』と名ざしされて、このさき五十年は誰も口をきいてくれないだろう。げんにぼくの会社だって、先代の社長が死んだときは四十九日が過ぎるまで飲み会やカラオケが自粛になって、結婚式を延ばした人だっていたという。そりゃまあ、金物屋だから古い体質だということは認めるけれども、人の生き死にというのはそのくらいおごそかなもんじゃないだろうか。

「昔は社長でしたがね。失礼」といって男は電話を切った。

ちくしょう、どうなってんだ、とぼくはつぶやいた。「え、どしたの？」と、となりにすわっている同期の女の子があきれてこっちを見たが気にしていられない。ぼくは完全にキレていた。家庭での不和、会社での軋轢《あつれき》、そんな不遇がもしかしたら井戸川さんを発作的な自殺に追いやったのかもしれない。もしかすると、井戸川さんから自殺のサインが出ていたのに、ぼくは気づかずに、のんびり下手な組手なんかをしていたのかもしれない。ぼくは自分の鈍感さに寒気がした。

よし、ぜったいに井戸川さんの死の原因をつきとめてやる。ブレーンプラネット社の住所は文京区茗荷谷《みょうがだに》。ぼくの会社は新宿だからちょっと遠いが、さいわいぼくは営業だ。得意先まわりにいってきます、といって社を出た。

ぼくは肩を怒らせて、ブレーンプラネット社に入っていった。とつぜんの社長の死でさぞや混乱しているだろうとややすまない気持ちだったのに、部屋のなかはしーんと静まりかえり、七、八人の社員ぜんいんがパソコンに向かっていた。カチャカチャとキーボードを打つ音だけがひびいている。

「ごめんください」

「はい、何でしょう」

ちょうど入り口のそばにすわっていた若い女子社員が、しっかたねえなあ、とでもいうように、いやいや机から離れてこちらに向かってきた。声からして、いつも電話をとる女子社員のようだ。もっと老けた女性を想像していたのに、年の頃はぼくと同じくらいだった。化粧っけがなくて、エディー・バウアーで上から下までそろえました、というようなカジュアルでチープな格好をしている。

「あのう、さきほど電話した者ですけど、井戸川さんが亡くなられたことについて、すこしお話をうかがえれば、と。ぼくは個人的に親しかったものですから」

しどろもどろでそんなことをいうと、その女子社員はどきっとしたようにうしろをふりむいた。

その視線のさきでは、いかつい五分刈り頭の男がすわってこっちを睨《にら》みつけていた。

「なんだって」と男が出てくる。これがさっき電話を切った無礼者らしい。「井戸川のご友人ですか」

「そうです」

「どういう？」

「空手の仲間です」ぼくはあわてて、ふところから名刺をさしだした。「こういう者です」

「へえ、井戸川さんは空手やってたんか。知らんかったな」と男は横でふてくされたように立っている女子社員にいった。彼女は、「はあ」といったきり席にもどってしまった。ぼくの名刺はあわれにもカウンターにおきっぱなしになっている。

「それでなにを聞きたいんですか」

「あのう、つまり、ここは井戸川さんの経営している会社だと聞いたので、お葬式をあらためて出さないのかな、と。告別式とか、社葬とか……あと亡くなったときの状況も聞きたいし」

そこまでいうと、男がきゅうにさえぎった。「だから、それは昔の話だっていったでしょう。じつは井戸川にはすごい負債があってね、返せなかったんですよ。だからうちに経営権がうつってしまいましてね、わたしがやってます。井戸川ももちろん来てましたけど、ここでは営業マンとして一からやり直してもらっていたから、もう社長じゃなかったんですよ。死んだ人のことを、どうこういいたかないけどね。ここんとこなにしにきてんのかわからないような感じでしたね」

「でも、CD－ROMの契約がとれたとか……」

「そんなの夢物語ですね」

ぼくはじぶんの顔がショックでゆがむのがわかった。

「そうだったんですか。じゃ、井戸川さんのご自宅の住所をおしえていただけますか」

新しい社長だという男はそれをきくと、これで役目がおわったとでもいうようにすっとぼくのまえから離れ、かわってさっきの女子社員がメモパッドをもってやってきた。そして、いやにへたくそな字で「中野区上高田3丁目4番地マンション富士見」と書いてくれた。「ありがとう」と礼をいうと、彼女がこっそりささやいた。「あとで電話するから」

えっ？　と聞きかえそうとすると、彼女はまたふてくされたような顔つきで席にもどってしまった。

いったいどうなっているんだ。こうなったら仕事なんかしないぞ、井戸川さんのことを本気でしらべてやる。ぼくはそう決意して地下鉄に乗った。彼の自宅にいってみるつもりだった。そうすれば、親戚の人でもいるかもしれない。

「マンション富士見」はすぐにわかった。ぜんたいに黒ずんで、築二十年はたっている古い建物だ。ぼくは井戸川さんの部屋のインターホンを押した。すると、

「はい、待ってたのよ！」といきおいよくドアをあけて女の人が顔を出したのでびっくりした。

「おそかったじゃないよ」

誰かとまちがえているのだ。ぼくはあわてて手を振った。

「ちがいます。ぼくは綾部といいます」

「あら、引っ越し屋さんじゃないの」

女の人はあきらかにがっかりしたようすで両手を腰に当てた。ぼくより十歳は年上だが、茶髪を長くして若づくりしているため、なかなか魅力的だった。しかし、真っ赤なドレスを着ているのはどういうわけだろう。

「あのう、奥さんですか」とぼくはおずおずときいた。「まちがっていたらすいません」

「そうよ。あたし井戸川の妻よ」

「ぼくは空手道場でお世話になってました綾部といいます。あの、このたびはどうも……とんだことで……ぼくらもう、びっくりしまして」

ぼくがぶつぶついいだしたら、彼女がこうこたえたのにはすごく驚いた。

「いいえ、さばさばしたわ」

「そういえば……」といいかけて、ぼくはくちごもる。

「あたしが井戸川から逃げてるって噂きいたんでしょう？」

「……はあ、そうです」

ぼくはしかたなくうなずく。なんといったらいいのかわからなかったのだ。ミドリさん情報では、『奥さんは男ができて逃げた』という衝撃的な話だった。そんなすごい女の人と生活するなんて、ぼくのような小市民的生活を送っているものにはとても想像できないことだった。つらいけどどきどきするというか、こまるけどわくわくするというか、そんなおもいでミドリさんの話を聞いたのだった。

「なんか、そういうのってもてるってことだから、ドラマティックでかっこいいなと思いました。だって、ぼくはそんな経験は一生ないでしょうし……」

「なにいってんのよ」と奥さんは笑った。「あたしに男がいるなんて嘘よ。あたしはあの人がいやになって逃げただけ」

「そうなんですか」

「そうよ。もう耐えられなかったわよ」

彼女はうんざりしたように部屋をみまわした。部屋のなかはすでに家具はなく、段ボール箱がところせましと積まれていた。この部屋のあるじがたった九日まえに死んだなんて、とてもじゃないけど思えない。ぼくの視線のさきを見て奥さんがいった。

「早業でしょう。あの人が死んだって聞いてよろこびいさんでもどってきたのよ」

「そ、そうみたいですね」

「あなた、あいつの仇名《あだな》、なんていうか知ってる？」

「いえ、知りません」

だいいち、仇名があるなんて想像もできなかった。なにしろ、井戸川さんはどんな事態になっても慌てず騒がず、冷静でかっこいいのだから。

「『わしもちゃん』っていうのよ」

「『わしもちゃん』ですか？」

「そう。わしもいく、わしもいくってすぐいうからさ。もう、あたしがどこにいくのにも、ついてきたがるのよ」

「はあ、それだけ愛していたと」

「違うわよ。四六時ちゅう女を追いかけてないと気がすまないのよ。かといってあたしの場合は惚れてるってことでもないのよ。愛してなくてもね、とりあえず誰か女のあとを追いかけまわしていたいの。そういう人なの」

「それってどういうことか……」

ぼくにはよくわからなかった。すると、奥さんはふふっと笑った。

「それでね、もう息が詰まるってあたし飛びだしたわ。そしたら、こんどはすごい追いかけかたしてきたのよ。もう、『わしも』どころじゃないわ。鬼よ、鬼。あたしの父が所沢に住んでいるんだけど、そこにいって一日じゅう見張ってるの。あたしが来ないことがわかると、すごむ、おどす、泣く、この三本柱で娘の行きさきをいえって年寄りを恫喝《どうかつ》するのよ。もちろん父は頑《がん》としていわなかったわ。そしたらこんどは訴訟をおこしたのよ。信じられる？　あたしをいろんな不履行で訴えはじめたのよ。あきれたことに、あの人の事業上の借金まであたしに半分負わせようとしたのよ。二億もあるのに。籍も入ってなかったのに。そうなの、わかってるの、ただの嫌がらせなのよ。そうしたら裁判所命令であたしが出頭しなくちゃならないでしょう。それで顔を見てやれってことだったみたい。でも、そうなるまえに挫折したの。なぜなら弁護士雇ったり裁判費用がかかりすぎたから。いい気味！」

「そうだったんですか」

「そうよ」彼女はふーっとためいきをついた。「あの人のこんな面、知らなかったでしょう。あの人、外面《そとづら》がいいのよ」

「外面ってみんないいとおもいますけど」

「あの人はとくにいいの！」

「はあ」ぼくは部屋の奥をみた。祭壇も仏壇もなにもない。「お線香をあげさせてもらいたいとおもってきたのですけど」

「わるいけどここには何もないわ。あたしはあの人が死んだって弁護士から聞いたんで急いで、荷物取りにきただけ」

ぼくは頭をぽりぽりとかいた。こんなことになるなんておもってもみなかったからだ。

「がっかりした？」

「いえ」

「ごめんね」奥さんは明るくいうと、インターホンの音に若やいだ声をだした。「はーい、あいてます！」


ぼくは奥さんと反対の、すごくくらい気持ちになって会社にもどってきた。井戸川さんが自殺した確率は九十九パーセントだ。ああ、かわいそうな井戸川さん。会社は乗っとられ、借金をかかえ、奥さんは逃げていく。きっと寂しかったんだろうな。しかし、どうしてこのぼくに悩みをうちあけてくれなかったのだろう、ぼくがまだガキなんでいやだったんだな。そうだ、そうにちがいない。ぼくは結論をだした。井戸川さんにはぼくらにいえない悩みがたくさんあった。だから、彼は自殺したのだ、と。しかし、このことをあの手島さんにいうのはなんとなくいやだった。

腕時計をみると、もう五時ちかい。てきとうに営業報告を書いていればじき帰れる。きょうのぼくはまったくやる気がなかった。あたまをしぼってどの得意先をまわったかをでっちあげているとき、「電話」と、となりの女の子がぼくをつついた。「電話だってば」

「わかったよ、いてえな。……もしもし」

受話器をとると、不機嫌そうな女の声だった。

「あたし、『ブレーンプラネット』の……」

「あ、わかります」

いつも電話をとる女だった。ほんとうに電話してくるとはおもわなかったので、ぼくはすこし不気味に感じた。

「そんでさ、ちょっと話あるから会える？」

「いいけど」いったいどうなってるんだ。ぼくはくびをひねった。

待ちあわせ場所は銀座のマクドナルド。ぼくの家は国分寺だから会社よりも遠くなってしまうのだけど、彼女は千葉に住んでいるから銀座がいいというのでしかたがなかった。そろそろ約束の六時半だ。ぼくはジューシーダブルバーガーセットを食べながら、黒胡椒《くろこしょう》が歯にくっつくんでいやだなあと気にしていた。

「あらま、こんなところで夕食？」

うしろから彼女がぽんと肩をたたいた。軽蔑したように笑っている。おまえがここを指定したんだろうが、とぼくはむかついた。彼女はところどころ黒ずんだ灰色のデイパックを肩にひっかけ、どた靴をはいている。雰囲気はまるで、アメリカの飾りけのない女子学生のようだった。もちろん、よくいえばだが。ぼくはしかたなく挨拶した。

「どうも」

「どうもじゃないわよ。あなたさ、なんかいろいろ聞きまわっているじゃない。あれ、どうして？」

彼女は腰をおろすといきなりつっこんできた。

「どうしてっていわれても」

ぼくは空手道場で井戸川さんがみんなに尊敬されていたことを話した。そして、ぼくがあこがれていたことも。だから井戸川さんにわかれを告げたいとも。

「ふうん」彼女はずるずるとマックシェイクをすすった。「それって信用していいわけ？」

「どういう意味だよ」

「だってさ、とつぜん井戸川さんが死んだことについてくわしい話ききたいってきたから、何者かと思って」

「どうして！」とぼくはあきれて絶句した。「ぼくがときどき電話してたの知ってるでしょう？

知り合いならあたりまえじゃないか」

「そうだっけ？」彼女はさらに大きな音をたててシェイクをすすり、ぼくの顔を見た。「人の声っておぼえらんないからさ」

「それよかどうして、井戸川さんの死んだ状況をきいて悪いんだよ。知り合いならあたりまえじゃないか」

「ほんとは知ってるんじゃないの？」

「知らないよ。なにいってんだよ！」

ぼくはいらいらした。目のまえにいるこの女がなにをいいたいのかさっぱりわからなかったのだ。

「じゃ、どう考えてんの？　ある程度、考えくらいはあるんでしょう」

「自殺なんだろう」

ぼくは声をひそめていった。ジサツ。なんていやなひびきだろう。

「違うよ、ぜったい」と否定して彼女はぎゅっと眉をひそめた。いま若い女の子たちがしているように細く描いた眉毛じゃなくて、太くて真一文字の天然眉だった。

「どういうことだよ。はっきりいってくれよ」

「つまりね。井戸川さんは自殺なんかしっこないのよ」

「どうしてだよ。だって、会社はあいつにのっとられたし……」

「それはちがうよ。井戸川さんがルーズで仕事ができないの」

「バツイチでこどもには会えないし、いまの奥さんは逃げたし……」

「まえの奥さんは、ふたりのこどもごと捨てちゃったらしいよ。いまの奥さんには反対に愛想つかされてたし」

「どっちがいいんだかわるいんだか、ぼくは知らないよ。でも、不遇じゃないか。不幸じゃないか」

「不幸？　とーんでもない！　あの人はね、いまメロメロの恋愛してたんだよ」

彼女は勝ち誇るようにいった。ぼくはあぜんとした。どうしてミドリさんにしても、この女にしても、こういう肝心かなめのことを女たちだけが知っているのか、ふしぎでたまらなかった。

「メロメロの恋愛？　だってあの人、四十四歳だろう？」

「恋愛にトシは関係ないよ」

「だけど……」

やはり、あのクールでハードボイルドなキャラクターからは想像もできない。だいいち、うちの空手の土曜クラスでも、ミドリさんをはじめ井戸川さんに夢中になった女は数知れないという噂だ。なのに、井戸川さんはだれも相手にしなかったときいている。ミドリさんが『おねがいだから、一度だけ抱いて』と泣いてさけんだという話がひそかにささやかれているくらいだ。

「どうしてあたしが知ってるかっていうんでしょ。だって、三週間ほどまえに井戸川さんがあたしのことを待ち伏せしてたてね」

「きみと恋愛してたっていうわけ？」

「ちがうよ、やだなあ。あたしが驚いて『なんですか』って聞いたら、こういったのよ。『きみは血液型B型だよね。B型の若い女ってどういうこと考えているのか、どういう行動パターンをとるのかおしえてくれ。もう手に負えなくて困ってるんだ』って」

「うそだろ！」ぼくは驚きのあまり、ジューシーダブルバーガーの残りを床におっことしてしまった。「それじゃぼくらと同じレベルじゃないか」

「ほんとよ。うそじゃないよ」彼女はくちびるをとがらせた。

「信じられない。あの人、ぜったいそんな人じゃないよ。いいかげんなことというなよ」

「じゃ、そう思ってれば」おこったように彼女は立ち上がった。「どうも失礼しました！」

「ちょっと待ってよ」と声をかけたあと、ぼくは彼女の名前を知らないことに気がついた。「あのさあ、きみ名前なんていうんだっけ」

「もういいじゃん。だって二度と会わないんだし」

「ごめん、わるかったよ。ぼく、井戸川さんにほんとうにあこがれててさ、恥ずかしいんだけど、きのうは泣けて泣けて眠れなかったくらいなんだ」

彼女は馬鹿にするようにぼくを見下ろし、それからまた、しっかたねえなあ、というぐあいにふてくされて席にもどった。

「それならいいんだけどさ。あたしはあんたがその彼女サイドの人間かなんかかとおもったの」

「どうしてだよ？」

「井戸川さん、その彼女に殺されたかとおもったの。だからそれとなく様子をさぐりにきた人なのかなあとおもって」

「殺されたあ？」ぼくはおもわず大声をあげた。「なんで恋されているのに殺すんだよ」

「チョーしつこいからよ」

彼女はたばこをとりだすと、クールな顔して煙をはきだした。となりのＯＬが露骨にいやな顔をしたのに堂々としている。

「でなければ、井戸川さんの死因に不審をいだく探偵とか」

馬鹿か、こいつは。ぼくはあきれて彼女の太い眉を眺めていた。くちもぽかんとあいていたかもしれない。

ぼくらは東京駅にむかってあるいていた。彼女が提案したのだ。あたしは京葉線、あなたは中央線。だから東京駅までいけばあいこよ、と。どうして「あいこ」にならなくてはいけないのかさっぱりわからなかったが、ぼくはおとなしく彼女にしたがっていた。

「その彼女ってどんな人かわからない？」

「わからないよ。若くて血液型がＢ型って以外はね」

「きみはなんてこたえたの？」

「Ｂ型にはそんな行動パターンなんてありません、ていったわよ」

「そうだよな。しかし、そんなばかなことをあの人がいうんだろうか」

ぼくには信じられなかった。

「いうわよ。井戸川さんて恋愛となるとトチくるうらしいわよ。相手が逃げれば逃げるほどめちゃくちゃになっちゃうんだって」

「じゃ、その彼女も逃げて……」

「そう。逃げたんだとおもう。だって若い女にとってさ、四十四のおじさんが血相かえて追っかけてきたらこわいよ」

「すると、ますます燃えさかるわけ？」

ぼくはさっき聞いた奥さんの話をおもいだした。「わしもちゃん」。いつも女を追っかけていたい。が、女が逃げると鬼になる。

「じゃ、もしかすると、その女の子にふられて発作的に自殺したんじゃないかな」

ぼくは信号待ちしながらいった。彼女はへへっと笑った。

「井戸川さんてそんなかわいい人じゃないよ。ふられたらますます追っかけるだけだもの。だからふってもふってもだめなの」

「そんなに始末の悪い人だなんて知らなかったよ」

ぼくはためいきをついた。井戸川さん、ぼくはあなたのこと、誤解してました。何も知らずに、涙だけ流していればよかったんだ。

「女しか知らないとおもうわ。あの人のああいう面は男は気づかないのよ」

彼女はきゅうにおとなびたいいかたをした。

「ねえ、もしかして、きみも追っかけられたことあるの？」

「あるよ」と彼女はこともなげにいう。「あの人は若くて自分に興味ない女にはみな夢中になるのよ。こわかったよ。朝、会社にくると、ぎらぎらした目をして待ってるの。『ひと晩中起きてきみを待ってた』とかいわれてさ。なるべくふたりきりにならないようにしてないと、押したおされそうになるの」

ぼくはたちどまった。彼女がうそをついているのかと思ったのだ。しかし、彼女は信号待ちのあいだ、そのへんのおじさんのようにいやにまじめくさった顔でたばこを吸っていた。そしてぼくの顔をじっと見た。「うそじゃないよ」

「じゃ、どうやってやめさせたの？」

「かんたんなの。要するに、女のほうから迫っていけば、もう、すーっと憑きものが落ちるみたいに熱がさめるの。それがわかったのは、先輩がおしえてくれたからなの。あたしがもう会社やめようかと真剣に悩んでいたら、先輩が『井戸川さんに迫られてるんでしょ』っていった。そうなんですってこたえたら、『好きになったふりして、ぎゃくに追いかければだいじょうぶ』ってアドバイスしてくれたの。それで、ある日、井戸川さんのマンションのまえで待っていて、『井戸川さん、あたしも大好きになりました』っていってみたの。そしたら、世にも気持ちの悪いものを見るような目であたしを見たわ。それでチョン。だから追いかければいいの」

「じゃ、その女の子にそうされたんじゃないかな。それで自殺した」

「またあ。あんたさあ、そんなにあの人を美化すんなよ！」と彼女はさけんだ。「ぜったいにちがうよ。あの人はそうされたら、ネクストワンにうつるだけ。それにさ、女はふつう、そんな単純な論理にも気づかないで逃げまわっちゃうもん。もうほんとに怖いし、気持ち悪いんだからさ。もし、橋の上でそんなことされたら、その子はきっと突き飛ばしちゃったりすると思う」

「よし、じゃその子をみつけるよ」とぼくはいった。

「あるいはね、その女の子を好きな男が殺したんだよ」彼女は自信たっぷりにいった。

「それも考えられるなあ」ぼくとしては、まだそっちのほうが我慢できる。「わかった。できるだけしらべてみるよ」

「それがいいよ」と彼女はいった。「あたしの名前はヒロだからさ。手伝うことがあったらいって」

しかし、ヒロの名前はこうしてわかったが、その追いかけられている女の子の名前なんてそうかんたんにわかるわけはない。てがかりは、若くて血液型がB型だということだけ。無理だな、とぼくは思った。すると、

「仕事関係かもねえ」とヒロはつぶやいて両手をぶかぶかのチノパンのポケットにつっこんだ。

「あの人、さいきん仕事してなかったからなあ」

「あっ!」とぼくはさけんだ。「もしかして……」

「なに、どうしたの?」とヒロがたちどまった。

「あの日、井戸川さんは上機嫌だった。CD－ROMブックの契約の話をして。だから、その出版社の女の人じゃないかなあ。その人と会う約束があったんじゃないかなあ」

「あれはS出版だよ。でも、担当は男の人だと思うけど」

「馬鹿だな。若い美人にきまってるじゃないか」

ぼくのこころのなかではすっかり、井戸川さんに追いかけられる女の子は美人だという概念ができあがっていた。

「じゃ、受付だ！」とヒロがさけんでぼくを見た。


「あなたはB型ですか」なんて受付の女の子に聞いてまわったら、ヘンタイ扱いされることは間違いない。こまったこまったと悩んでいたら、翌日の午後、ヒロから電話がかかってきた。

「もしもし、綾部。あのねえ、知り合いに電話してわかったよ。なんとさ、先週ずっと休んでいた受付の女がいるんだって」

「それだ！　間違いないよ」

「うん。今週から出てるらしいんだけど、元気なくてげっそりしてんだってさ」

「ぜったい間違いない……。名前は？」

「杉山京子だって」

「きみ、役にたつね」

「あたりまえじゃん。あとは綾部の出番だよ」といって電話は切れた。

出番といわれてもなあ、と悩みながらぼくはS出版にいった。マンガ雑誌が売れている有名な出版社で社屋もぴかぴかだった。受付は玄関をはいってすぐの真ん中にど～んとあり、モデルみたいなきれいな女の人が三人も、ピンク、黄色、ミントグリーンと色とりどりのスーツを着てすわっていた。

「あの、杉山京子さんいらっしゃいますか？」

勇気をふりしぼってたずねると、一番はしっこにいた黄色のスーツの女の人がこちらを向いた。

「杉山でございますが」

声がきれいで可憐《かれん》な顔だった。ぼくはここにくるまでに何度も練習してきた言葉を口にした。

「あの、ぼくは井戸川さんの知り合いなんですが、ちょっとお話できますか」

きゅうに青空がかきくもって黒い雨雲がもくもくとあらわれるように、三人の表情がさっと変わった。ひとりがすばやく目配せし、ぼくはあっと思うまもなく、頑丈そうな体格のガードマンに腕をつかまれた。

「な、なにするんですか！」

「ちょっとこちらに」ぼくは裏口にあるガードマン室につれてゆかれた。「お客さま。おそれいりますが、こちらにはもう二度といらっしゃらないように」

「どういうことですか」なにがなんだかわからない。「井戸川さんがなにかしたんですか。あの人はもう死んだんですよ」

びくっとガードマンが驚いたように硬直した。「えっ、あの人、死んだの？　どうして」

「隅田川に落ちて溺れて死んだんですよ」

へえ、とガードマンが腕組みした。「驚いたねえ。そうですか」

「井戸川さんがなにをしたんですか。教えてください」

「あの人はね、こまったお人なんですよ。うちの受付の女の子にひとめぼれしちゃって。言い寄るだけならまだしも、ことわられてもことわられても社のまえに何時間も立って待ってるんですよ。いやがる女の子をつけまわしてね。彼女も必死になって逃げてたんだけど怖くなったんでしょうね。警察よんでくださいって訴えてきました。そのうち社内でも有名になってしまったし、あぶない人だから、やはり警察に届けようかと上の人間と相談していた矢先だったんですけどね。そう、亡くなったの。ここんとこ、姿を見ないと思ってたんだけどね。そう……」

ヒロがいったとおりだった。あの井戸川さんがあぶない人だなんて。ついこないだ、井戸川さんが死んだと聞いたときに感じたあの衝撃とはべつのショックがぼくをうちのめした。ぼくは井戸川さんを尊敬していたんだ。ぼくはああいう男になりたいと願っていたんだ。それなのに「こまったお人」だなんて。

がくっと肩を落としたぼくを見て、ガードマンは同じ言葉をつぶやいた。

「そう、亡くなったの。ちょっと信じられないね」

裏口から外にでると、ぼくは電話ボックスにはいった。ヒロにことの次第を報告してやろうと思ったのだ。しかし、杉山京子とはとうとうかんじんな話もできなかった。ヒロはそのことをきびしく追及するだろうなとぼくは弱気になった。テレカをとりだしたものの、どうしようかとS出版のほうをふりかえる。すると、まうしろに人が立っているのに気づいた。

「杉山さん！」

なんと黄色いスーツを着た杉山京子が、背後霊のようにぼくのうしろにいたのだ。

「わざわざすみません」

喫茶店にはいったぼくは大量に汗をかき、おちつかなくおしぼりをつかった。あのまま電話をかけていたら、この人にすべてを聞かれてしまっただろう。そういうのって苦手なんだ。しかし、杉山京子はうつむいたまま物静かな声でこたえた。

「いいんです」

「あの、ぼくは」

「井戸川さんがどうして死んだのか知りたいのでしょう」

「そうです」

「わたくしもどうしてこんなことになったのかよくわからないのです。いつのまにか井戸川さんの熱に巻きこまれてて、こっちもちょっとヒステリックになっていまして、気がついたら、井戸川さんは亡くなられていたんです」

「はあ」とぼくは杉山京子の青い顔をそっと眺めた。むき身の卵みたいなつるつるの白い肌に、おひなさまのような品のいい目や鼻がついている。真っ赤な口紅をつけて、黄色いスーツを着たその姿は、京都あたりの老舗《しにせ》の和菓子を連想させた。きれいだけど、ぼくはヒロのほうがいい感じだなと思った。

「わたくしのせいじゃないんです。いえ、わたくしのせいでもあるんです。でも、やっぱりわたくしは悪くないといいますか……」

「落ちついてください」

　なんて、小説のようなくちをきいてしまった。杉山京子のまえだとどうしてか芝居がかってしまう。

「はあ、すみません。井戸川さんがうちの会社に見えたのは一カ月以上まえだったと思います。CD－ROMの制作のことで、企画室にご用があるということでした。ところが、室長がいそがしくてなかなか参りませんで、受付でしばらくお待ちでした。そのときに、わたくしがお茶をさしあげたのですが、じっとわたくしの顔をごらんになってこうおっしゃるのです。『ああ、運命の人に出会った気がします』と」

「そういうことってよくあるんですか」

「はあ。ないとはいえません。出版社と申しますのはいろんなかたが出入りしますし、なかには出版物をごらんになってみえる偏執的なファンのかたもいらっしゃいますから」

　ぼくは正直いって、彼女のつかう敬語にいらいらしてきた。偏執的なファンにまで「いらっしゃる」をつかうことはないだろう。

「じゃ、あなたはそのときどうなさったんですか」

　ぼくはごくっとつばを飲んだ。この対応いかんで彼女が井戸川さんのターゲットになった過程がわかるというものだ。

「はあ。何も申しませんで、聞こえなかったふりをいたしました」

あちゃっとぼくは思った。それがいけないのだ。

「そしたらエスカレートしたでしょう」

「はい。翌日もお見えになりました。が、企画室のほうからはアポがないということで誰も降りて来ませんで、わたくしがまたお茶をさしあげました。そのとき、お詫びを申しましたら『いや、ぼくはあなたに会いにきたんですよ』とおっしゃいました。それではっきりとこう申し上げました。『それは迷惑ですのでやめてください』と。すると、また翌日もお見えになったのです。そのときはわたくしは同僚にたのんでお茶を出してもらったのです。そしたら、わざわざブースにまで見えて、わたくしの顔を見てこうおっしゃったのです。『あなたがお茶を出してくれるまで毎日きます』と」

「あなたはどうなさったんですか」

「うつむいて聞こえないふりをしていました。そうしたら、帰りに裏口で待っているのが見えましたので、地下の駐車場からこっそりでました」

そのあとはもう、ブレーキのこわれた自転車が坂道を転がり落ちるように、エスカレートの毎日だった。つまり、井戸川さんがあらわれない日は一日もなかったという。とうとう彼女は音《ね》をあげて、ガードマンに相談し、井戸川さんがあらわれるとガードマンが追い払うという状況にまでなっていたのだそうだ。

「それでぼくが聞きたいのはですね。あの、先々週の土曜日、あなたと井戸川さんが会われたのではないかということなのですが。どうしてかといいますと、ぼくは空手の稽古で井戸川さんに会ったんですよ。そのとき、すごく上機嫌だったものですから、たぶんデートの約束があったんじゃないですか」

「いえ、デートなんてとんでもない。考えるだけで寒気が！」と杉山京子はかんぺきな眉をひそめた。「わたくし土曜日の夜はかならず、あの川そばのゴルフ練習場でゴルフを習っているんですの。それをどこかで調べてきたらしくて、わたくしが練習を終わって出てきたら、車のまえに立っていたんです。それでわたくしぞっとしまして、こうどなりました。『もうわたしのことをつけまわさないでください。あなたなんか大嫌いです！』と」

「そうしたら鬼のようになった？」

ぽかんと彼女はくちをあけた。「どうしてわかるんですか？」

「カンです」と、うそをつきながらぼくは情けなくなっていた。これから井戸川さんの死因にせまる核心の話だっていうのに、これ以上聞きたくないという気持のほうが強い。

「そうですか。もう鬼というよりは、強姦魔みたいな感じで追いかけてくるんです。『あなたが好きです。おねがいします。一度だけ、一度だけ、抱かせてください』って。わたくし殺されるかと思いました。それで隅田川のところまで逃げてしまったんです。で、橋のうえで追いつめられまして、誰かとおってくれないだろうかとまわりをうかがったのですが、そういうときにかぎって誰もいないのです」

杉山京子はそういって目元をうるませた。ぼくはおもわずたずねた。

「そういうときに、おもいきって『あたしも好きよ』とかいえないものでしょうかね」

「どうして。どうしてそんなことをいわなくちゃならないんですか！　もう世の中でこんなきらいな人間はいないとまで思いつめているときに」と彼女は吐きそうな顔になった。

「そうですか。すみません、へんなことといって」

「いいえ。それでわたくし、もうこれで殺されると思いましたので、思いきってこういいました。『そんなにわたしのことが好きなら、いまここで泳いでみてください』って。まさか、まさか……そこで飛びこむなんていくらなんでも思わなかったんです。ただもう、その場しのぎといいますか、助かりたい一心でしたからいってしまったんですの。そうしたら『あなたのためだ。ぼくも空手で鍛えてますから』といってジャケットを脱いだんです」

そういうと、杉山京子はわーっと泣きだした。ぼくはぼうぜんと聞いていた。いったい、ぼくはなにをしてたんだろうと自分がいやになったのだ。結局、ぼくの知らない、とてもいやなところをもった井戸川さんを発見しただけだった。すわ殺人事件、なんて思ったけど、本当はぼくのこころのなかであこがれの対象だった井戸川さんを殺しただけだった。そしたらまた、涙が出てきた。


「押忍《おす》！」と道場の入り口で挨拶すると、さっそく手島さんがとんできた。

「綾部くん、どうだった？　連絡ないからどうしたのかなと思ってたんだよ。なにかわかったかい？」

「いや、べつに。もう会社のほうでも告別式とか、やらないみたいですし」

「そうか」と手島さんは信じられないというように首をひねった。「そういうやりかたもあるんだねえ。しょうがない。今度は墓参りだな」

「そうですね」

ミドリさんが鏡に向かって必死に蹴りを練習していた。闘争心に燃えた夢中な表情は、ミドリさんをいつもよりきれいに見せている。これでよかったんだ、とぼくはミドリさんを見ておもった。ぼくらはみな、井戸川さんの素敵なところだけをおいかけていたんだから。

twisted heaven

捩れた天国

室内はいつものように暗く冷たく、タバコとアルコールの臭いが充満していた。手探りでタバコを探し、火をつけてぼんやりする。やがて、部屋の空気や明るさと自分自身とが一致する、あの現実に戻る感覚がゆっくりとよみがえってきた。カールは腕に嵌めっぱなしのタイメックスを薄暗がりの中で眺めた。午後四時過ぎ。少しずつ起きるのが遅くなってきていた。さて、これから長い夜をどう過ごそうかと考えはじめたとき、うまい具合に電話が鳴った。

「カール？　急な話で悪いんだけど」

旅行代理店のマリアが前置きしたとき、これまでののんびりした話があったかよ、とカールは内心毒づいた。しかし、久しぶりに仕事が入るかもしれない。期待で思わず愛想よく答えていた。

「かまわないよ。だいじょうぶだ」

「そうでしょ。あなたなら、絶対に暇だと思ったのよ」

「確かにね」

むっとしたが、七年がかりで芸術大学を出たあと、カールはここベルリンの観光ガイド以外の仕事をしていない。何も言い返せずに、マリアが事務的に述べることを手近な紙に書きつけた。

「日本人女性が観光ガイドを求めているわ。期間は明日から数日間よ。粘ればもっと延ばせるかも。その女性は今晩インターコンチネンタル・ホテルに泊まるから、明日の朝、九時にロビーに来てほしいって」

「わかった。名前は」

「ソノダよ。これは名前なのか名字なのかわからない。日本人の名前って知らないもん」

「名字だよ」

「そう、どっちでもいいわ。ともかくよろしくね」

電話はあっけなく切れた。マリアは日本人観光客向けガイドの口があるとこうしてカールに廻してくれるのだが、まだ一度も会ったことはない。いつも冷ややかで揶揄《やゆ》的な口調から察するに、日本人にあまり好感を持っていないことは薄々わかっていた。

ほかにガイドの仕事を持ってきてくれるのは、カール同様、日独のハーフで、東京で高校まで一緒に通っていたマックスだけだ。マックスは映画を撮っているので、彼の紹介の日本人たちは面白い人物が多かった。が、それもそうあることではない。そのほとんどは二月のベルリン映画祭に集中しているからだ。

ベルリンの壁が崩れてからしばらくは観光客も多く、通訳ガイドをアルバイトにしていたカールはかなり裕福な学生生活を送ることができた。だが、それに味をしめて生活が乱れはじめた途端、観光客はぱったりと来なくなった。代わりに増えたのはビジネス客だ。が、そういう客は会議の席に似合わないカールのようなガイドを求めない。スーツでも着こんでぱりっとすればいいのかと考えたこともあるが、ビジネスが目的で来る客たちはどういうわけか不思議と、カールの気ままな芯を見抜いて嫌うのだった。

しかし、これで少しは金が入る。カールは気が大きくなってマリファナを吸った。たちまち、これから先のことなどどうでもいいように思われ、漠然とした大きな幸福感に包まれた。ソフトドラッグとアルコールと音楽と。このまま時間が過ぎていったらどんなにかいいだろう。いま凝っているコルトレーンを聞きながらベッドに寝転がると、明日の早起きが急に面倒臭くなった。


翌朝、二つセットした目覚ましでも起きられず、無理やり目を開けたときは、すでに午前九時を過ぎていた。一瞬、すっぽかそうかという考えが頭を過《よ》ぎったが、それでは金が入らない。ここで稼がないと限界だった。カールは寝起きのタバコをくわえて不承不承起き上がり、顔も洗わずに部屋を出た。

気温は四度。四月はじめにしては低い。カールは薄手のセーターに革ジャンで飛び出したことを後悔し、それなら何とかレンタカーを借りてやろうと考えた。個人旅行で観光ガイドを雇うのだから、金持ち女に決まっている。車は少々高くてもＢＭＷの新型にしようと決めた。

きっかり一時間遅れでホテルに入っていくと、目当ての女はすぐにわかった。大理石を張った巨大な石の箱のようなロビーにいる東洋人は彼女だけだったからだ。少し黄色みを帯びた独特の光をもつ肌、この寒さに薄いストッキングとハイヒールという場違いな服装。しかも、髪が異様に黒く、真っ赤な口紅との対比が人目を引く。

ごく稀にだが、面倒を持ち込んで、重く苦い味だけをこちらに手渡してゆく旅行者がいる。相手は去り、こちらは残る。そんなときはガイドの仕事がつくづく厭になるのだった。今度の客はそうでなければいいのだが、とカールは女を観察しながら近づいた。

「園田さんですか。通訳兼ガイドのカールです」

あ、と驚いた口の形を残しながら、女はカールの顔を見つめた。俺の顔立ちに驚いているのだろうか。久しぶりにカールは、日本人が最初に自分を見たときの反応の思い出を重ね合わせた。

日本人の母親も美しかったが、黒髪のゲルマンの父親との間に生まれたカールと弟は、周囲がびっくりするほどの美貌だった。完璧な形の頭蓋に白い肌と黒褐色の巻毛。濃い眉が微妙な角度を保ったまま弧を描いて、大きな黒い目を際立たせている。鼻も唇も繊細に造られ、まるで日本の少女漫画に登場する美少年のようだった。日本で過ごした少年時代は、電車に乗るたびに女子学生が騒いでいた思い出しかない。

しかし、ここベルリンで生活が放埒《ほうらつ》になりはじめた頃と一致して、カールの髪の生え際は後退しはじめていた。二十六歳のいま、カールの頭髪は父親同様、いずれ禿頭になることをはっきりと示している。だから、園田という女の反応は久しぶりにカールに自信をつけさせた。

「お待たせしたんでしょうか」

「ええ、約束は九時ですよ」と女は予想外に低い声できっぱり言った。

「そうですか。僕は十時と聞いてました。すみません。きっと手違いでしょう」

ごまかしてカールは女の顔をしげしげと見た。目が細くて寂しい顔立ちだが赤い口紅が映えている。年の頃は三十代半ばだろう。体にぴったりした青のニットドレスを着て、白の薄手のコートを手にしている。本人は地味なのに、服装は派手。何をしている人間なのか、皆目見当がつかなかった。会社員でも主婦でも自由業でもなさそうだ。だが、どこか侮っていた自分を見透かされた気がしてカールは出方を考え直した。

「最初にどこに行きたいのか、リクエストしてください」

「そうね、どこでもいいわ。昨日、着いたばかりだから全然見てないの」

女はこれから見知らぬ街を観光するという喜びをまったく見せずに淡々と喋った。その間、カールは女の漆黒の髪をじっと見つめていた。ドイツ人にも髪が黒い人間はたくさんいるが、これほど見事な黒髪は東洋人特有のものだった。照り返さずにすべての色を吸い込むようなねっとりした色合いは、女が化粧を落とせば、たぶん顔色を青白く沈ませてしまうだろう。カールは突然、欲望を覚え戸惑った。それは自分の血にも流れている、忘れてしまいたいような、でも、覚えていたいようなむず痒いなにかに連結していた。慌ててカールは女に尋ねた。

「ベルリンは初めてですか」

「ええ」

「何日滞在するんです?」

「決めてないわ。三、四日ってところかしらね」

女の一人旅でベルリンに寄るのは珍しい。ビジネスの下見かもしれない、とカールは期待した。なかには、自分のようなガイドを雇って若者マーケットの下見をこっそりするような人間もいるだろう。もし女がそうなら、自分がよく行くバーに案内してやってもいい。そうすれば何か見返りがあるかもしれない。

「そうですか。じゃ、いわゆる一般三日コースにしますか」

「そういうのがあるの」

「ありますとも。僕のオリジナルですが」

カールが答えると、女はにっこり笑った。笑うと目はそのままなのに、口許《くちもと》だけがきゅっと上に上がって、逆に意地悪そうな顔になる。その表情は悪くなかった。

「じゃ、お願いするわ。よろしくね」

三日滞在するのなら、今日は市内をあちこち連れ歩いて、明日はポツダムまで遠出、最後の日は博物館巡りと自分にバックマージンの入る店で買い物をさせよう。カールは胸のうちで素早く計算した。日給プラスマージンで八百マルク以上にはなりそうだ。五年ガイドをやっているうちに、そういう腹積もりと客への働きかけはスムーズにできるようになっていた。

「じゃ、三日契約でレンタカーを借りていいですか？」

そうすればレンタカーも三日間まるまる使えることになるから、夜、遊び友達を誘ってドライブに行くこともできる。カールは新型のＢＭＷがいつものレンタカー屋にまだ残っているかどうか心配になった。それもグリーンが。

「ええ、いいわよ。そうしてちょうだい」

女はカールのほうを見ずに返事だけしてマールボロに火をつけた。

「じゃ、僕、借りてきますから」

カールは奇特な女だと有頂天になりながら、レンタカーを借りに外に出た。

しかし、女の旅の目的がよくわからなくなったのは、真っ赤なBMWで観光名所を巡っているうちだった。戦勝記念塔《ジーゲスゾイレ》、旧帝国議会、ブランデンブルク門、ベルリンの壁跡、旧東側の街並み。カールがいくら熱心に説明しても、女は車から降りて眺めようとはしない。カメラもビデオも持っていないし、名所旧跡に興味もなさそうな様子だ。

「寒いですか」

「ううん。人の顔だけ見たいから中にいるわ」

「かまいませんが、それならガイドよりタクシーを頼めば安くついたのに」

カールは思わず厭味をいった。女がきょろきょろ観光をしているあいだに自分はのんびりできると思っていたからだ。

「でも、言葉がわからないもの。あなたは日本語上手ね」

「ええ。僕の母親は日本人ですから」

「そうなの」と女はカールの顔をまじまじと見つめた。「日本人とは全然違う顔ね。でも、ドイツの人とも違う。すごくきれいだわ」

「きれいって言われても。そういや、大学でこっちに来てからやたらゲイにもてました」

「いまもそうでしょう」

女は唇を弛《ゆる》めて笑い、カールの答えなど期待していないようにフロントガラスに向き直ってしまった。結局、カールは答えるきっかけを失った。

やがて、焼けただれて尖塔の欠けたカイザー・ヴィルヘルム記念教会を通りかかると、女は教会を一瞥してから、「この辺、ぐるぐるまわってくれない」とカールに頼んだ。

「シャルロッテンブルク宮殿に行くんじゃないんですか？」

「いいのよ。ここは人がたくさんいるからちょうどいいわ」

女は黙り込んで道行く人々を眺めはじめた。カールはちらっと女の視線の行き着く先を確かめた。女はもう二度と、戦争で破壊された有名な教会を見ようとはせず、行き交う人の顔ばかりを見つめている。

風は冷たく、空は相変わらずどんよりと曇っていた。今にも雪がちらつきそうだ。人々は皆、永遠に続くかと思われるような寒さにつくづくうんざりした顔でコートの前をかき合わせ、急ぎ足で去って行く。いったい何が面白いのだ。カールは焦《じ》れたが、女は誰か知り合いでも探すように、彼らの顔にせわしなく視線を走らせている。

カールはそのままカント通りをしばらく走り、それから繁華街のクーアフュルステンダムをまた上って、カイザー・ヴィルヘルム教会まで戻ってきた。そして、それを二回繰り返したが、女は気づかないのか何も言わなかった。尿意を覚えたカールは右手に見えてきたベルリンで一番のデパートKaDeWe《カーデーヴェー》の駐車場に勝手にＢＭＷを入れた。

「お昼ご飯、どうです？　もう四時ですよ」

車を白線にぴたっと合わせて止め、自分はここで待つつもりだと言うと、女は寒そうに腕組みをしてカールに言った。

「何か飲みたいわ。案内してくれない」

仕方なしにカールは車から出た。後ろからついて行くと、女は自分がどう見えるのかなどまったく頓着ないように、ハイヒールをはいた膝をきゅっと伸ばし、西洋人のように姿勢よく歩き続けた。が、肩ではねる黒い髪はどうしても、春のパステルカラーを多用したデパートの飾り付けからはくっきりと浮いていた。色の質が違うのだとカールは思った。

カールは、かつて日本で自分が抱えていた、まるで人形にでもなってしまったように感じられた違和感と、ベルリンに来てさらに突きつけられた、東洋の血が入っていることの違和感と、両方を感じて耐えられなくなった。そんなやり場のない気分は久しぶりだった。思えば、いまの気ままな生活も、どこにも属さない不安から逃げ出したいから続けているのかもしれない。底無し沼に足を突っ込むのを恐れ、カールは考えるのを止《や》めにした。

女とカールは、エスカレーターでデリカテッセンに着いた。女はカールに、グラス一杯のシャンペンとニシンのムニエルを頼むように言いつけ、すぐにタバコに火をつけた。カールは、女の代わりに立って行き、自分も同じものを注文した。

料理の皿を受け取って女の席に戻ると、女は売り場のガラスケースの前でキャビアを選んでいる体格のよい金髪の男を見つめている。視線に気づいた男は不快そうに女を見返し、お前は女の何だ、この女はどうして俺を見るのだ、と問うように若いカールの顔を睨みつけた。その刺すような視線を避けて、カールは女が高く掲げたシャンペングラスの泡越しに、思い切って尋ねた。

「あなたは本当に観光で来たんですか」

「じつは人を探してるのよ」

女がそう答えた時、カールはなぜ女があれほど人の顔をじっと見るのか、謎が解けたような気がした。女の探している人間、それはドイツ人の男に違いなかった。

「その人はどこにいるんですか」

「さあ」と、女は肩をすくめた。「どこにいるのかしらね」

「もしかして昨日、探しに行ったんじゃないんですか」

あてずっぽうで言ったのだが、女は素直に頷いた。

「ええ。彼の住所に手紙を書いても宛て先不明で戻ってくるの。だから、そこに行ってみたわ。クロイツベルクよ」

「どうでした？」

「そんな人はいないって大家みたいな人が出て来て言ったわ。それくらいのドイツ語、私にもわかるわよ」

よほど、自分が一緒に行って聞いてみましょうか、という言葉が喉元まで出かかったが、それはガイドの仕事ではない。いつもの観光案内をルーティンとしてこなし、それ以上の報酬を期待するのがカールのやり方だった。

黙っていると、女はバッグの底を探って数通の手紙を出した。そこには女の字でクロイツベルクの住所が書いてあった。男の名前はベルンハルト・ケラー。が、宛て先不明となって戻っている。カールは裏を返して女の名を読んでから手紙を戻した。ヨシコ・ソノダとあった。

「じゃあ、これからどうしますか」

「人がいるところに。あの人は作家志望だったのよ。いつも街をぶらついては人を眺めていると言ってたわ。だから会えるかもしれない」

女は皿にきれいに残ったニシンの骨を眺めながら夢のようなことをつぶやいた。カールは少しむっとした。

「僕は観光ガイドなんで、そう言われても困りますね。人探しなら専門の人がいるんじゃないですか」

「あなた、お金要らないの?」女はタバコを揉み消して、カールの顔を見て例の意地悪に見える笑い方をした。「一緒に探してくれたら少し払うわ」

「どのくらい?」

「通常の二倍」

女は口紅と同色のマニキュアを塗った細い指をVサインの形に立てた。カールは手紙を引ったくった。早く暖かい自分の部屋に帰ってソフトドラッグでもやりたかったが、二倍の報酬と聞いてはやらずにいられない。面倒な仕事になることはわかっていたが、それでこのあとの生活が少しでも楽になるのなら喜んでやるつもりだった。

「やりますよ。じゃ、まずクロイツベルクに行ってみましょう」

「あそこにはいないって言ったでしょう」

女は苛立ったようにきっぱり言うと、ハイヒールのつま先をぶらぶらと揺らした。

「じゃ、僕がもっと詳しく聞いてあげましょう。あなたは車の中で待っていたらいい」

ベルンハルトが作家志望だというのが本当なら、クロイツベルクは確かにそういう人間が選びそうな街だ。場末のトルコ人街だったが、最近は面白いカフェや店が増えて、アーティストやアーティスト志望が大勢住んでいる。カールの知り合い、つまり自称芸術家たちもたくさんいるのだ。誰かをつかまえて聞けばいい。


クロイツベルクに着き、カールは道の端にBMWを駐車すると女に言った。

「この住所で聞いてきますから、ここで待っててください」

女は答えずに頷いた。六時を過ぎて気温は下がってきていた。日の入りは午後九時頃だからしばらくは明るいが、薄着で街をほっつき歩くのはまっぴらだった。それに仕事というものは五時には終わるものだ。早く切り上げて一杯やりたい。寒さを感じたら急に面倒になり、カールは革ジャンの襟を立ててジッパーを首まで上げ、走り出した。

たぶん、ベルンハルトという男は、あの日本人の女に愛想を尽かして適当な住所を教えたのだ。と、カールは思った。ときどき西洋の男には東洋の女が重くなる。あの黒髪がデパートの色合いのなかで浮いていたように。それが薄々わかっているからあの女はここに自分と一緒に来ようとしなかったのだ。カールと一緒だとプライドの問題が関わるから。しかし、何とか男には会いたいので、無駄とは知りつつ雑踏を見つめていた。ということは、自分はあの女の希望の泡のような旅に付き合わされているのかもしれない。

そう思いいたるとカールは憂鬱になった。料金の二倍では安かった。後悔しつつ、カールは手紙の住所にあった古いアパートメントの大家を訪ねた。

「ベルンハルト・ケラーという男を探しているんですけど」

「そんな人間はいないよ」

七十歳以上と思われる白髪の男がきっぱり言った。口から安物のワインが臭った。

「でも、ここにいると聞いています」

「いや、住人は俺が全部知っている。最近出入りもないし、聞いたこともない名前だからな」

「住人の友人でここに滞在してたとか」

「それは許してないからあり得ないよ」男は頑として認めない。

「じゃ、日本人の女がここに来ましたか」

「東洋人の女なら昨日来たよ。ベトナム人か中国人かと思ったけど、日本人とはね」

住人を訪ねて聞いてまわるほど、気を利かせるつもりはない。もうそれだけで義務を果たした気になってカールは車に戻った。だが、今度は女の姿がなかった。カールは溜息をついて辺りを見まわした。旧東ベルリンの荒れた場所と違ってネオナチはいないだろうが、ここはやはり夕暮れどきに女が一人で歩く街ではない。

「畜生！　どこに行ったんだ」

思わず、罵る言葉が日本語で出た。ハーフの子供は母親に近くなるというのは本当だ。外見はドイツ人だが、カールのメンタリティは日本人のほうに近かった。カールは駆け出して、石畳の擦り減った路地という路地をひとつひとつ覗いた。しかし、女の姿はまったく見えない。

困り果てたカールは車に戻り、すべすべした車体に寄りかかってタバコを吸った。真っ赤なBMWの新車は、この界隈では目立つ。いたずらされれば弁償するのはこちらだ。早いところ安全な場所に移動したかったが、女がいないのではどうしようもない。

苛々して目を上げると、少し先にカフェの看板が見えた。とりあえずそこを覗いてみようとカールは歩きだした。ちょうどそのとき、カフェから黒髪の女が出てくるのが見えた。安堵とともに、猛烈に腹が立った。

「探しましたよ。どこに行ってたんです」

車の前に立った女は寒さに震えていた。歯の根が合わない様子で両腕で胸の辺りを抱えている。

「ごめんなさい。あのカフェのことを彼が喋っていたような気がして」

「で、結果は?」

「誰も知らないみたい」

そう答えると女は意気消沈した様子で車に乗り込んだ。カールはエンジンをかけながら聞いた。

「ベルンハルトはあなたの恋人ですか」

「東京で一緒に暮らしていたのよ。でも、ベルリンに戻りたいと帰ったの」

「それはなぜ?」

「小説を書きたいからって」女は冷たく笑った。「東京は湿気と人が多いから厭だって。想像力が湧いてこないから自分は駄目になるって」

「あなたを捨てて？」

「いいえ。あたしを呼び寄せるからと言ってたわ。あたしたちは夫婦同然だったもの」

「あなたの仕事はなんですか」

「ホステス。銀座のクラブにいるの」

「キモノ着るんですか」

「そう」と女は沈んだ表情で言った。「毎晩ね」

反射的にカールは女の髪を見た。確かに洋装が合わない色だった。ここでは彼女は完全なる異物なのだ。最初は珍しいが、西洋の男にはいずれ湿っぽく重くなる東洋の女。

「今日は遅いから帰って、また明日来ましょう。今夜、この辺りに住んでる友達に電話して聞いておきますよ」

女は答えずにシートのなかで顔を背けた。そして、車が走り出してしばらくしてからこう言った。

「今日は疲れたわ。悪いけど明日は一時に来て」

たぶん何かで気持ちが挫けたのだろうとカールは想像した。もしかすると、かのカフェでバッドニュースでも拾ったのかもしれない。ベルンハルトが住所を偽っていたか、他の女と暮らしているのか、それとも何か。

急に黙り込んだ女をホテルまで送ると、カールはまたクロイツベルクに引き返した。親切心というよりは、ただの好奇心だった。先程、女が消えたカフェに寄って知り合いの顔でもないかと探したが誰もいなかった。カフェは平凡な名称と造りで、特に芸術家崩れが好む店でもない。カールは、ピルスナーを注文してカウンターの中で退屈そうに立っている若い女に聞いてみた。

「ベルンハルト・ケラーを知らない？」

女はジーンズの尻ポケットに両手を突っ込んだまま、奥のほうに顎をしゃくった。釣られてそちらを眺めると、金髪の男が熱心に本を読んでいる。カールが近づいて行くと、男は本から目を上げた。カールにはわからないロシア語の本だった。ロシア語教育を受けた旧東ドイツの人間らしい。

「ベルンハルト・ケラーさん？」

「いや」と男はかぶりを振った。「俺はエミールだ」

「僕はカールです」

カールは男と形ばかりの握手をして、その横の椅子に腰を下ろした。

「じゃ、ベルンハルト・ケラーを知りませんか」

「知ってる。友人だった」

「彼はいまどこにいるか知りませんか」

「もちろん知ってるよ」

エミールは皮肉屋に見える薄い青い目をほんの一瞬だけ沈ませた。

「どこです?」
「墓場さ」
「彼は死んだのですか?」
「ああ。何が原因で死んだのか、いつどこで死んだのか、そんなことは知らない。ただ風の噂で聞いただけだ。俺たちはここで顔を合わせるだけの友人だったからね」
それだけ言うと、エミールはまたロシア語の本に目を落とした。

翌日、カールは一時半までロビーで待った。だが、女は現れなかった。カールはハウスフォンをかけるのをためらった。部屋に上がる羽目になって、悲嘆に暮れる女を慰めるのはごめんだからだ。

昨夜、部屋に帰ってから珍しくドラッグをやらないすっきりした頭でカールが導きだした結論はひとつ。自分には関係がない、ということだった。女が悲しもうがどうしようが、女から言い出さない限りは知らん顔でベルンハルトを探すふりをする。女が観光を続けるというのならガイドするまでだ。そして、いずれにせよ二倍の金を貰う。

カールはロビーに置いてある深々と体の沈むソファに腰かけて女を待ち続けた。これまでに二度ほど、ホテルルームでは厭な目にあっていたことを思い出した。

一人は商社マンの男で、待ち合わせの時間にロビーに降りて来なかった。ハウスフォンをかけると、いまうっかりルームサービスを頼んでしまったので部屋まで来てほしいと言う。カールがドアをノックすると、ドアがいきなり開いてつんのめったところを後ろから羽交い締めにされた。きみが好きだよ、と彼は背後から囁いた。しかし、カールのほうが力が強かった。僕にはそういう趣味はないのです、と振り払うと、彼は申し訳ないと財布を開き、百マルク紙幣を二枚差し出した。

もう一人は女子大生だった。具合が悪いから来てくれというので部屋に行くと、ベッドの中でしくしく泣き出した。カールに恋をしたというのだ。美しい西洋人の顔をして日本人のメンタリティを持つハーフのカールが好きでたまらないのだという。カールは躊躇なく、自分はゲイなので応えられないと言った。

彼らは良くも悪くも日本人だった。カールがはっきり言えば、引き下がった。つまり何かまずいことが生ずれば環境に合わせるべきだと諦め、努力する。だが、あの女は違う。自分が異物だということを十分承知して振る舞っているようにも見えたし、反対にまったくそんなことにも気づかない無防備さを呈しているようにも見えた。おそらく、ベルンハルトという男にも引き下がらずに抗していたのだろう。ここまで探しに来る執念もなかなかだった。

「きのうはどうも」

肩をやんわりとたたかれ、驚いて振り向くと女が立っていた。今日は真っ赤なミニドレスに黒のライン入りのストッキングだった。その上に黒のミンクコートを羽織っている。

「今日は人のいないところへ行きたいわ」

「今度は人のいないところですか」と、おうむ返しに答えながら、自分はその理由を知ってます、とカールは伝えたくなった。しかし、女はホテル中の視線を集めながらさっさとエントランスに向かって歩いて行ってしまった。カールは大股で追いついた。

「その格好で大丈夫ですか。外は六度ぐらいですよ」

「寒いの平気よ」

ベルリンでは、こんなに薄くセクシーなストッキングを昼間はく女はほとんどいない。ましてや、まだ早春だ。カールはパーキングに停めたレンタカーのドアを開けてやり、乗り込む女の脚を見て、昨日の街角で震えていたときの女の表情を思い出した。あのときは寒さというよりは怯えていたように見えた。車のなかで女が提案した。

「ポツダムに行ってみましょう」

「でも、あそこは観光名所ですよ。人は多いです」

「そう」と女は黙り込んだ。「じゃ、どうしようかしら」

カールはふと女を驚かせたくなった。もともと、ベルリンのどこにもそぐわない女だが、さらにそぐわない所に連れて行こうと決心した。

「じゃ、誰もいなくてきれいな廃墟をお見せしましょう」

カールはカント通りからアウトバーンに乗った。そして、その昔自動車レースのために作られたまっすぐな高速道路を南西に走った。ちらっと助手席の女に目をやると、女は隣の車線を走るベンツのタクシードライバーや、ミシュランの人形をファサードに乗せたトラックドライバーたちを見つめている。女の強い視線を感じたドライバーたちは、皆、びっくりしたように黒髪の束洋女を見返し、それから仕事の邪魔をするなというように、すぐに前に向き直るのだった。今度は、死んだ男の面影を誰かに探しているのだろうか。カールは、女の目に景色が流れて像を結ばないようにとアクセルを深く踏み込んだ。どういうわけか急に、女が哀れに思えてきた。

やがてポツダムに着いた。カールはその荒れた寂しい街並みを走り続け、なだらかな丘の麓《ふもと》で車を停めた。あたりには観光客など一人もいなかった。

「あそこです」

カールは丘の上の廃墟の群れを指さした。それまで一向に口をきかなかった女から、初めてあっという声が漏れたのを聞いてカールは満足した。両脇を栗林に囲まれた百メートルほどのなだらかな道が続く丘のてっぺんに、支柱だけ残った石の建物がいくつか打ち捨てられたように建っていた。真っ正面のは柱が一本曲がっていたし、どれもが、巨大な建築物の一部分でしかなかった。しかし、麓から眺め上げると天井のない宮殿のようにも見える。

「僕ら、あそこを『天国』と言っています」とカールは言った。

「ベルリンて変な街ね。地獄みたいに荒れ果てた街があれば、天国みたいに素敵な所もある。でも、あれは……」

「あれは?」

「天国にしては捩《よじ》れているけど」

女の言葉にカールは考え込んだ。確かに丘の上の廃屋は誰かが上部をむしり取ったように捩れている。中途半端でやり切れない「天国」。

女はカールを無視して先に坂道を登り出した。ピンヒールの踵がほとんど土に埋まって、まるで小動物の足跡のようにぽつぽつと小さな跡を残している。女はタバコをくわえて足元に注意を払って歩いていたが、ときどき栗林越しにかすんで見えるくすんだオレンジ色の太陽を眺め、あたりにタバコの灰を撒き散らした。リズムをとるように黒髪が肩で跳ね、脚の筋肉が緊張したり弛緩したりするのをカールは後ろから見つめた。

丘の上に着くと、巨大な建物の残骸の真ん中に、さらに一メートル程の高さのコンクリートの壁がぐるっと円形に何かを取り囲んでいる。

「これは内側が貯水池なんです」

カールが教えてやると、女はびっくりしたようにコンクリートの厚い壁に手を沿わせた。

「ねえ、昇らせてくれない?」

カールのジーンズの膝にヒールの踵をくいこませながら、女は案外身軽に登った。そして、貯水池の周囲を一周すると、そのコンクリートの壁の上に座り込んだ。カールは女を見ないようにして、真っ正面の柱の曲がった建築物の上によじ昇って遠くを眺めた。しばらくして振り向くと、女はそこに横たわって空を仰ぎ見ている。カールは壁の下をぐるりと廻って女の寝ている場所まで行き話しかけた。

「寒くないですか?」

「寒いわ。石の上だもの」

「ここ、気に入りましたか?」

「ええ、とっても。見た瞬間、きっとあの人もここに来たことがあるって思ったわ。そしてここにこうして横になって空を見たんだろうって」

女は弾んだ声で話したが、貯水池の淀んだ黒い水にすべて吸い取られたかのように悲しく聞こえた。カールは、女のことは関係ないと思っていたくせに、思わず尋ねた。

「手紙にそう書いてあったんですか」

「いいえ。でも、あたしとあの人はそっくりなの。感じたり考えたりすることが。だからよく同時に同じ歌を歌ったり、同じタイミングで話したわ」

女は少し頭を起こして、ちょうど目の位置にあるカールの顔を見た。突然、女が手を差し出した。カールがその手を摑むと、びっくりするほど冷たかった。

「降ろして」

女はそう言って壁の上に立ち上がると、カールの態勢が整わないうちに胸のなかに飛び込んできた。カールは女の重みでよろめき、二人同時に冷たい地面に転がった。カールの上に乗った女はいきなりカールの頭を摑んで乱暴に両手で引き寄せると唇を吸った。女の唇はものすごく冷たくて柔らかかった。堅くて丈夫そうな黒髪がカールの顔にふりかかる。

いったい何が起きたのかと茫然としているうちに、女がカールのジーンズのジッパーを降ろした。ペニスはすでに勃起していた。女はそれを口に入れた。その思いもかけなかった暖かさに、凍えていたカールは思わず声を上げた。女は唇をゆっくりと上下させて、カールのペニスを優しく吸い、歯を立てた。堪えられなくなったカールは女を腹の上に乗せ、ドレスの裾をめくりあげると乱暴に下着を取った。女の中に入った時、安心と同時に不覚にも果てた。

「ごめんなさい」

荒い息を弾ませてカールが言うと、女はカールのたいらな胸に頭を置いたまま、曇り空を見上げていた。

「あの人、死んだのよ」

「知ってます。昨日、カフェで聞きました。あなたが悲しいのはよくわかる」

カールが言うと、女は一瞬身を堅くして半身を起こした。

「あなたは誤解してるわ」どういう意味かとカールが女を見上げると、女はつぶやくように言った。「あの人、東京で死んだのよ」

驚いたカールが身を起こすと、女はすでに立ち上がってミンクコートやドレスについた土埃《つちぼこり》を払い落としていた。砂よりも細かい粘土質の土がドレスの縫い目に入り込んでいるのが見えた。

「どうして探すふりなんかしたんです」

女はそれに答えず、黙々と土を落としていた。

「なぜですか」

女は憐れむようにカールを見下ろした。その目には、お前にはけっしてわからないだろうという嘲笑が浮かんでいた。

「あなたにはあたしと寝てくれた分も含めてお払いするわ」

カールは旅行者の重く苦いものをまたも受け止めて思わずよろめいた。自分に渡された荷物。

永久に捨てられない荷物。いや、忘れるまでに時間のかかる荷物。ああ面倒だ、こんな仕事辞めてしまえ、とカールはつぶやいた。

black dog

黒い犬

黒い犬

1

有理と書いてユウリと読む。

ルフトハンザ機が成田空港の上空を旋回しはじめた頃、カール・リヒターはようやく忘れていた日本名を身につけはじめた。日本の湿潤な空気。それが体の中まで浸透した時、カールは辻本有理というもう一つの名前に完全に馴染《なじ》むはずだ。歳をとるごとに、時間がかかるようになったが。

前回の帰国は二年前、祖母が死んだ時だ。今回は母親の結婚式に出席するため。冠婚葬祭でしか訪れなくなった祖国を、ユウリは上空から冷ややかに眺めている。

初夏の東京は何年ぶりだろう。ユウリは、次第に近づいてくる、ちまちまと小分けされた新緑の大地を眺めた。管理されない土地や人間は存在しないのではないか。湿気の膜に覆われた安全な国、日本。自分は本当にこの国で生まれ育ったのかと訝《いぶか》る。

ユウリが住んで八年になるベルリンは、地面に突き刺さった棒杭のように、一人一人がそれぞれの穴を深く掘らなければならない街だ。倒されないために、あるいは自ら倒れないために。だが、誰からも干渉されず、忘れられて生きるのは心地よかった。

耳障りな音を立てる古いスーツケースを押し、Tシャツにカットオフジーンズという姿のユウリを胡散臭《うさんくさ》い目で見る税関を抜けた。出迎えの人混みの向こうに、中年の日本人女性が立っているのが見えた。ミントグリーンの夏のドレスに、よく合ったシフォンのスカーフを纏《まと》っている。

「ユウリ、お帰り」

迎えに来なくてもいいと言ったのに。ユウリは、心の準備が整わないうちに母親と顔を合わせることが不愉快で顔をしかめた。母親に対してではない。二十九歳にもなってまだ戸惑っている自分に、だった。

「母さん、久しぶり」

ユウリは西洋式に母親を抱いた。香水が匂った。母親の路子は五十二歳。歳を重ねるごとに、落ち着きを増して美しくなっていく。若い自分はだんだん煤《すす》けていく気分だというのに。

「あら」

路子は黙ってユウリの顔を眺めている。口には出さなくても、路子がユウリの父親を思い出しているのはわかっていた。最近、生え際が後退しはじめた。途端に、ユウリは鏡の中の自分に父親の面影を発見するようになった。

「父さんに似てきたろう」

久しぶりに「父さん」という言葉を発した。

「あなたのほうがハンサムよ」路子は笑ったが、ユウリの強張《こわば》りを察して素早く話を変えた。

「その髪型いいじゃない」

「そうかな」

ユウリは後ろで束ねた髪に触れる。解けば母親より長い髪は、父親譲りの黒褐色だ。

「久しぶりね。帰って来てくれて嬉しいわ」

「僕も会えて嬉しい」

帰って来て嬉しいとは言わなかった。


成田エクスプレスの座席に並んで座ると、路子が話を始める。

「今度の人だけどね。日本人なの」

「幾つ？」

「五十九になるわね。じき定年よ」

「何してる人？」

「お堅いサラリーマン」

「どこで知り合ったの」

「内緒よ」と秘密めかして笑う。

路子の最初の結婚相手はドイツ人。それがユウリと弟シンリの父親だ。離婚したのがユウリが十歳の時だから、十九年前。ユウリが大学に入った年にアメリカ人と再婚し、その結婚もすぐに解消した。今度の相手とは出会ったばかりだというが、日本人と結婚するのは初めて、というのも珍しい。

「あちらも子供が二人いるのよ。二人ともお嬢さんでね。上は三十歳、下は二十七歳。二人とも結婚してるわ」

ユウリは路子の話に相槌《あいづち》を打ちながら、目は窓外の景色に奪われている。二年前より住宅が増えた。建物が真新しくなった分、どこも似通って見えるのはなぜか。外の気温は摂氏何度だろう。湿度は何パーセントか。

「でも、私たちの結婚式には出てくれないんですって」

最後の言葉だけが耳に入ってきた。ユウリは路子の傷ついた顔を見る。母親が若やいで美しい理由がわかった気がした。幾つになっても、柔らかな感情の芯と率直さは昔のままだ。

「どうして」

「亡くなったお母様が可哀相《かわいそう》って」

「生きている人間のほうが大事だと思うけどね」

「あたしも昔はそう思ったわ。でも、最近はわかるような気もしてきた」

路子はユウリの顔を見ずに小さな溜息をついた。

「そういうものかな」ユウリは苦笑する。

姉妹の気持ちはわからないでもないが、ユウリにはすでに消えた類《たぐい》の感傷だった。拒否のしようがない幼い頃の出来事だった。あとは自分の精神を鍛えて慣らしてきた。だから、ユウリをそんな目に遭わせた母親が殊勝なことを言うのも、どこかおかしかった。

車内販売のカートがやってきた。路子はホットコーヒーを二つ買うと、一つをユウリに手渡した。

「真理《シンリ》とは会わない？」

「四年前に会ったきりだ。最近は音沙汰ないよ」

ユウリは弟のことを考える。たった一度、ガールフレンドを連れてベルリンのユウリを訪ねてきたことがあった。四歳違いのシンリは、ボンの大学生だった。


待ち合わせのカフェに行くと、自分にそっくりの男がいた。

「シンリ」

ユウリが呼びかけると、シンリは驚いた顔になった。

「そのミドルネームを忘れていたよ。使ってないんだ。ペーターって呼んでよ」

肉体に日本人の血が入っていることを忘れているかのようだった。二人は、十四年ぶりに会う兄弟の顔を互いに見つめ合った。相似形のように似ていたが、雰囲気はまったく違っていた。

「久しぶりだね」

「ああ。兄さんがいるっていいね」

「兄弟ができたんだろう？」

「妹と弟。だから、長男になった」

「なるほど」ユウリは父親が再婚した相手が、ドイツ人だということしか知らない。

「兄さんがいて嬉しいよ」

シンリはそう言ってくれたが、ユウリの薄汚れたジーンズや乱れた髪を見て、そっと視線を逸《そ》らした。シンリの服装は裕福で育ちのいい大学生そのものだった。

シンリの横にぴたりと座った金髪の娘は、二人の兄弟の顔を見比べ、似ていることに驚嘆するおどけた仕草をしてみせた。黒い髪は同じ。秀でた額や微妙なカーブを持った眉もそっくり。だが、シンリのほうが母親似で目が細く、かすかに東洋系の匂いがする。

「あなたのほうが日本人らしい。目が細いもの」

彼女が指で目を吊り上げる真似をすると、シンリは苦笑しながら両手を合わせてお辞儀してみせた。

「僕、東京のこと、全然覚えてないよ」

シンリは少し顔を曇らせたものの、すぐさま頷いた。陽性だとユウリは思った。まっすぐで健やかな青年。

シンリはユウリが喫煙する様に、失礼にならない程度に眉をひそめた。部屋に戻ればこっそりソフトドラッグをやっていることも、始終二日酔いだということも、根無し草のようなその日暮らしだということも、容易に想像がついたらしかった。

「カールは今何してるの」

「母さんのことも？」

「日本人旅行者のツーリストガイドをやって食ってる」

「へえ」と、言ったきり、会話は止まった。シンリは大学で専攻しているコンピューターのことばかり喋った。

「ペーター、父さんは元気？」

「うん、きみによろしくって」

シンリはそう言ったが、それが嘘だということはわかっていた。ユウリがベルリンの大学に入学した時に小切手を送ってきたきり、音信は不通だった。

忘れ、シンリは完全にドイツ人になったとユウリは思った。ドイツ人の新しい母親を得て、日本語を忘れ、シンリという日本名を忘れ、幼い頃、東京で暮らしていたことも忘れている。路子という日本人女性の血を引いていることも事実として受け入れているだけで、記憶には留《とど》めていないらしい。

無理もなかった。離婚の際、父親は六歳のシンリだけを連れてドイツに帰った。そしてドイツで再婚し、新たな家族を形成した。シンリは幼い時から、違う国で違う家族に育てられたのだ。違うのは当たり前だ。

別れ際、二人の兄弟は手を握り合った。しかし、もう会うことはあるまいとユウリは思った。姿形は似ていても、二人は違う世界に生きている。

自分と路子は父親に捨てられた。父親はシンリのほうを選んだ。

ユウリは、悩み、胸を痛めていた少年時代を思い出している。父親に選ばれなかったという強い引け目と敗北感。孤独で暗い子供だった。だから、思い出の喪失感だけにこだわっていられる母親の再婚相手の娘たちは自分よりずっと幸せだったに違いない。

「シンリは、どんな若者になったかしら」

路子は夢見るように言った。

「彼は根っからのドイツ人だよ」

ユウリは平坦な口調で言う。コーヒーはインスタントの味がして不味《まず》かった。

「ドイツ人って言うけど、あなただって半分はそうだし、ずっとベルリンで暮らしているじゃない」

路子は微笑《ほほえ》んで言う。日本に寄りつかなくなった、たった一人の息子を恨む言い方をしたが、アメリカ人との再婚を決めた時点で、それは彼女の中でとうに諦めた願望だとユウリにもわかっていた。ユウリは一人で生き、路子は路子の幸せを求め続けるのだろう。母と子でも、日本人である路子には中途半端でいるユウリの魂の傷までは想像できないに違いない。

「僕は日本人でもドイツ人でもないんだよ」

「じゃ、何なの?」

「僕は僕だ」

自分は自分。そう信じているが、ユウリは内心、複雑な気持ちになった。自分のアイデンティティが何か。父と別れたあの日から頭から離れない強い不安。しかし、路子にその責任を負わせようと思ったことはない。なぜなら、二人とも父に捨てられたからだ。

「あたしが離婚したからあなたを苦しめたのかしら」

路子はユウリの広い肩をそっと押さえた。

「いいんだよ。母さんには関係ないんだよ。もう大人なんだから」

大学を出てからも正業に就かず、不安定なツーリストガイドをしている自分の有様を知ってか知らずか、路子は飲みかけのコーヒーに目を落とした。

「シンリもそうかしら」

「あいつは幸せそうだったよ。心配しなくてもいい」

「それならよかったわ。シンリはクリスマスカードを必ずくれるのよ」

路子は嬉しそうだった。

「当たり前だよ。自分の母親なんだから」

「結婚するって知らせたんだけど、何も言ってこないわ」

ユウリは、シンリが日本にまったく関心をもっていないことを路子には告げなかった。

「きっと、喜んでいるよ」

「会いたいわ」

「シンリに？」それとも父親に、という言葉を飲み込んだ。

「もちろんシンリよ。ね、あなたに似てる？」

「似てたけど、もう似てないと思うよ」

「そうなの」理由を聞かずに路子は言葉を切った。「ガールフレンドって、どんな子だった？」

「美人だった。明るい金髪で」

ユウリは新宿に近づくにつれ、建て込んできた街並みを眺めた。歩道を足早に急ぐ人々は午後の日射しをまともに顔に受け、一様に不機嫌な面持ちだった。

「あなたは結婚する気はないの」突然、路子が尋ねた。

「ないよ。僕は一生しないと思う」

路子はそれが困難な結婚を繰り返す自分への非難と受け取ったのか黙り込んだ。久しぶりに会った親子の間に沈黙が横たわった。しかし、すぐにまた聞いた。

「どうして結婚しないつもりなの」

「そういう面倒を背負《しょ》い込みたくないんだ」

「あたしを見ているから？」

「それもあるかな」

ユウリは再び窓外に目を遣《や》る。

「同性愛って訳じゃないのね」

「違うよ」ユウリは、そんなことまで心配していたのかと母親の顔を見た。路子は真面目な面持ちで見返している。「どうしてそう思うの」

「だって、あなたはガールフレンドなんか家に連れて来たこと、一度だってなかったじゃない」

「僕は十八歳からベルリンにいるんだよ」

ユウリは苦笑した。路子が寂しそうに答えた。

「そうだったわね。あなたのこと知ってるようで何にも知らないのね」そして、電車が新宿駅のホームに滑り込んだのを眺めながらユウリに聞いた。「今日はうちに泊まるでしょう」

「うん。金がないから」

祖母の葬式の時は、ビジネスホテルに滞在したのだった。

2

ユウリの家は永福町《えいふくちょう》にある。ユウリの家というのは正確ではない。路子の両親が遺《のこ》した路子のための家がある。

ユウリは住宅街の細い路地に立って、手を入れ続けてこれまで何とか維持している古い家を眺めた。二階建ての和洋折衷。十九年前まで、一家四人が暮らしていた家。思い出の詰まった朽ちた船だ。

祖母の葬式の時は、すぐにベルリンに戻ってしまったので気が付かなかったが、庭の横にあった白いペンキで塗られたガレージがいつの間にか取り壊されていた。当時、ガレージにはクリーム色の、ヘッドライトが縦に二つ並んだ古めかしいベンツがあった。

小さな木戸から庭にまわってみると、辺り一面夏草が生い茂っていた。ユウリとシンリが掘って作った小さな池の跡もわずかに窪みを残すだけで、白い花が咲く雑草に覆われている。猫が数

四、我が物顔に塀の上を徘徊していた。草をかき分けて庭の中央に進むと、ねぐらを追い出されたバッタが四方八方に飛びだした。
「ひどいでしょう。荒れ放題」

木戸から路子が顔を覗かせる。

「だけど、母さんはこういうのが好きなの。勢いのいい草が好きなの」

「そうなのよ。荒れた庭が好きなの。勢いのいい草が好きなんだろう」

ユウリは子供の頃、この庭が芝生で覆われていたことを思い出している。そこで父親は始終、犬の躾《しつけ》をしていた。黒い大きなグレート・デーンだった。名前は「リンゴ」だ。リンゴは大型で筋骨逞しく、体高はシンリよりあった。目つきは鋭く、断耳した耳はいつも角のように立っている。父親はリンゴの調教に夢中だった。

「リンゴ、伏せ！」

「リンゴ、待て！」

ドイツ語で命令する厳しい声が響いてくると、ユウリはいつも首をすくめたものだ。自分が叱られている気がした。

「いらっしゃい。おなか空《す》いてないの？」

居間の窓から、路子が声をかける。ユウリはいつの間にか顔をしかめている自分に気付いた。

Tシャツから出た腕が数ヵ所、藪蚊に食われていた。

家具はほとんどが替わっていた。

祖母の葬式で帰国した時はまだ昔のものを使っていたのだから、最近になって、母親が恋人との新しい生活のために揃えたに違いない。

「母さん、結婚したらここで暮らすの？」

「ええ。だってあたしの家だもの」

路子は何の躊躇《ためら》いもなく即答する。

「前のソファはどうしたの」

ユウリは軽やかな生成木綿《きなりもめん》のカバーがかけられたイタリア製のソファに腰掛けた。体が抱き取られるように沈み込んだ。

「あれは革が破れたから捨てちゃった」

前の家具はドイツから父親が取り寄せたものだった。重厚な、黒の革張りだった。子供のユウリが座ると、跳ね返されるくらい堅いソファだった。父親は家具や車はドイツのほうが優れていると信じていた。もしかすると、人間もそうだと思っていたのではないだろうか。捨てられた自分と母親を思うと、ユウリは誰にも言えない痛みを感じる。なぜなら、姿は西洋人に近くても、ユウリは路子の感受性や気質をシンリよりも強く受け継いでいたからだった。

「ご飯食べたい？」

台所から路子が飯《めし》茶碗を高く掲げて見せた。

「食べてみてもいいよ」

「それほど食べたくないの？　やはり、あなたは日本人じゃないわね。あたしなんか毎日食べたいわ」路子は笑った。

「そんなに家では食べてなかったじゃない」

「だってご飯の炊ける匂い、父さんが嫌いだったもの」

あの四人家族の中で、たった一人の日本人の路子も孤独だったのかもしれない。ユウリは午後の長い日射しが斜めに入りはじめた居間で、昔のことを思い出している。


九歳のユウリは食卓の椅子に腰掛け、テレビのアニメ番組を見ていた。

弟のシンリは五歳。ユウリの隣で画用紙に色鉛筆で絵を描いている。シンリが一生懸命真似て描いているのは、ちょうどその時見ていたアニメの主人公だ。

「似てないな」

ユウリが馬鹿にすると、シンリは怒った。

「似てるよ」

「全然似てない」

「似てる」

二人は口喧嘩しながらも、シチューの匂いが漂ってくる宵を幸せな気分で過ごしていた。玄関に向かう扉の前では大きな黒い犬、リンゴが寝そべって、父親の帰りを今か今かと待っている。

「リンゴ、おいで。ご飯あげる」

台所から母親の声がするが、リンゴは頭をもたげるどころか耳を動かしもしない。リンゴにとって、この家の主人はたった一人。父親しかいないのだ。母親も自分たち兄弟も、リンゴには犬以下に見えているに違いなかった。命令を無視したり、唸《うな》って脅したり、父以外の人間を馬鹿にする仕草をした。

ユウリはリンゴが大嫌いだった。しかし、その獰猛《どうもう》な目が光るのを見ると、ユウリは何もできない。射すくめられたように動けなくなり、「あっち行ってよ。お願い」と犬に懇願するのだった。

リンゴの耳がレーダーのようにぴっと前に向く。黒光りする背中の筋肉が張りつめるのがわかる。リンゴは急に座り直すと、嬉しさで鼻を鳴らす。そのうち、いても立ってもいられなくなり、前足でドアを掻く。父親が帰ってきたのが匂いでわかるらしい。

「早く仕舞え」

ユウリはシンリに言いつけて絵の道具を片づけさせ、慌ててテレビを消す。父親はだらだらと居間で過ごしている子供たちが嫌いだった。また、それを許す母親のことも怒っていた。だから、綺麗に片づけて、怠惰の痕跡を消さなくてはならない。夕暮れ時の幸せはその瞬間に消えた。

玄関のドアが開く音がする。母親がエプロンを外しながら急いで迎えに出る。その時、待ちかねたリンゴも母親を押しのけるようにして一緒にドアから出ていく。

「お帰りなさい」

「ただいま」

口づけを交わす音がして、父親の横にぴたっと添ったリンゴが、長い鞭のような尻尾《しっぽ》を振りながら意気揚々と居間に入って来る。

ユウリはこわごわ父を見上げる。真っ白な糊の利いたシャツ。ダブルの地味なスーツに合う細かい柄のヨーロピアンスタイルのタイ。黒髪でいかめしい顔に、細い金のフレームの眼鏡をかけているゲルマンの父。

「お帰りなさい」

ユウリとシンリは食卓の横に立ち、父を迎える。父は優しく笑っているが、二人のどんな隠し事も見抜く目を持っていた。

「今日は学校でどうだった？」

「いつものとおり」

「何かひとつはトピックを言うものだよ」

そう言われると、ユウリは萎縮する。父が恐ろしかった。その分、ユウリは父に気に入られたかった。優秀な、いい息子だと思われたかった。しかし、嫌われたのだ。父は自分と母を捨て、弟だけを連れて帰ってしまった。

突然、犬の吠え声が聞こえた。

思い出に耽《ふけ》っていたユウリは仰天して立ち上がった。庭から聞こえてこなかっただろうか。振り向いて眺めたが、庭を覆い尽くす雑草は微動だにしない。

「どうしたの」

路子がユウリの反応にびっくりしている。

「犬が吠えたから」

「あれはお隣よ」

「どんな犬？」

「忘れたわ。その辺によくいる犬よ」路子はさして関心がないといった様子で、肩をすくめた。

「あの犬がよく吠えるもんだから、野良猫があまり来なくなったわ」

路子は庭に猫が訪れるのを好んでいた。こっそり餌をやったり、お産を見守ったり、子猫の貰い手を探したり、つかず離れず猫の世話をするのを楽しみにしていた。ユウリは、リンゴがやって来た時、路子が同じ嘆きを漏らしたのを思い出した。

「母さん、昔からそう言ってたね」

「そうだったかしら」

「リンゴっていう犬がいたでしょう。あいつが来てから猫が来なくなったって嘆いていたよ」

「そうだったわね」と懐かしむ顔になる。「クラウスは野良猫がうろうろしているのが大嫌いだったのよ。芝生の上で、ところ構わずおしっこをするってね。そのことで、よく喧嘩したわ」

クラウスは父の名前だ。

「母さんはリンゴのこと嫌いだった？」

「ええ。大嫌いだったわ。偉そうな嫌な犬」

路子はわざと口を歪める仕草をして、笑った。

「あの犬、芝生の上で死んでたこと覚えている？」

「ええ、もちろん」

路子は急に真顔になった。ユウリは思わずこう言いそうになった。

「あの犬殺したの、僕だって知ってた？」

3

その夜、路子の結婚相手、伊藤が食事にやってきた。路子が、式の前にユウリと引き合わせるために計画したことらしい。

伊藤はまだ髪も黒くて若々しく、定年間近には見えなかった。長年ビジネスで鍛えられてきた押し出しの良さや自信が、伊藤を世慣れた風に、そしてほんの少し傲慢に見せていた。ユウリは国際会議がある度に、こういう日本の男たちを観光案内したことを思い出した。

伊藤はユウリの顔を見て、戸惑った表情をした。路子が国際結婚をしていた紛れもない事実に打ちのめされたかのようだった。

「きれいな息子さんだ。うちの娘たちよりずっときれいだよ」

「ハーフは互いのいいところばっかり取るの」

路子がまんざらでもない口調で返した。

「モデルとか俳優になったらいいのに」

子供の頃から何度、同じことを言われただろう。ドイツ系の学校に通うハーフの友人の中には、その手のアルバイトをしていた者もいた。しかし、整った容姿が何だというのだ。ユウリは自分の内面が整わないことに焦燥し、これまでの生涯を消費してきたというのに。

「目元はきみにそっくりだよ」伊藤が目を細めて路子を見る。

「弟のほうが母さんに似てますよ」

ユウリが口を挟むと、伊藤は怪訝《けげん》な顔をした。

「弟さんは帰国しないのかい」

ユウリは思わず路子のほうを見た。だが、路子は食後のコーヒーを淹れに席を外していた。

「彼は父の新しい家族とボンにいて、僕らとはあまり交流がないんです」

「そうだったね」

伊藤は気の毒そうな顔をして黙った。路子の別れた夫が子供を一人だけ連れて行ったということを思い出したのだろう。

「でも、ロルフさんだっけ。あの人とはまだ文通してるって聞いたよ」

ちょうど、路子がジノリのコーヒーセットを盆に載せて運んできたところだった。

「文通というほどじゃないわ。彼がクリスマスカードに近況を添えてくれるだけよ」

「母さん、ロルフって誰だっけ？」

ユウリの問いに、路子はわずかに狼狽《ろうばい》した様子だった。

「覚えていないの」

「いや……」

「ほら、クラウスの弟でいたじゃない」

「ああ。そういえば、ロルフ叔父さんっていたね」

ようやく思い出したユウリは、路子の白い顔を見た。路子はユウリの視線を真っ向から受け止めた。その跳ね返す視線の強さにユウリはたじろぐ。

「忘れちゃった？」

「いや、忘れたわけじゃないけど……」

どうしてその名前が浮かばなかったのだろう。印象的な人物だったのに。ユウリは自分の記憶の曖昧さに驚いた。

「どんな人だったの」

興味を感じたらしく、伊藤が尋ねた。

「変なヒッピーみたいな人だったわ。世界を放浪してて、途中で日本に寄ったって言ってて」

「最近はそういう日本の若者も増えているらしい。羨ましい話だね」

当たり障りのない口調で伊藤が頷いた。

「そういえば、そうだったね」

ユウリは忘れている自分に驚いている。

「あなたは彼に似てるみたいよ」

「どこが？」

「彼は誰からも自由でいたかったみたいだもの」

路子はコーヒーを一口飲むと、伊藤の顔を見上げて幸せそうに微笑んだ。これから自分はこの男と生活を分かち合うのだ、ロルフやユウリとは違う人生を選んでいる。そう顔に現れていた。


急に、ユウリの脳裏に一人の男が浮かんだ。

大きな体をした黒く長い髪のドイツ人。それがロルフだ。夏休みが終わったばかりの頃、彼は突然、空港から電話してきたのだった。

「クラウスの末の弟、ロルフです。今、日本に着いたところです。これから行くからしばらく泊めてくれませんか」と。

それまで父親にそんな弟がいることも知らなかったから、家族は慌てた。路子が宿題をしているユウリの部屋に来て、こう言ったのを思い出す。

「大変。ロルフ叔父さんが日本に着いたんだって」

「それ誰？」

「父さんの一番下の弟よ」

「知らないよ」

父親は男ばかりの兄弟で、すぐ下の弟はボンで同じ貿易商をしていた。だが、一番下の弟の話はなぜか聞いたことがなかった。

「しばらく泊めて欲しいっていうから、この部屋貸してあげてよ」

「嫌だな。客間にすればいいじゃない」

路子は眉根を寄せた。

「ガールフレンドと一緒だっていうんだもの。だから、ベッドの下に布団を敷いて寝てもらうから」

一階の庭に面したユウリの部屋は、客間よりも大きかった。

「ドイツ人が布団なんかで寝られるかな」

「知らないわよ、そんなこと。部屋がないんだから仕方がないじゃない」

路子は怒ったように答えた。急に連絡をしてきた、あまり交流のない夫の弟に腹を立てているらしい。しかも、何事にも細かくてうるさい父親の弟なら、気を遣わなくてはならない。そのことが異国の親戚を迎える喜びよりも、路子を憂鬱にしているのだとユウリは気がついた。

やがて、準備も整わないうちに玄関のチャイムが鳴った。路子の緊張が伝染し、ユウリは堅くなった。幼いシンリが何も知らずに走っていってドアを開けた。

黒い髪を肩まで垂らし、額に赤いバンダナを巻いた男が笑って立っていた。歳は想像もつかなかった。その頃の父が四十歳だったから、おそらく三十代はじめだったのだろう。

Tシャツは灰色に汚れ、ジーンズは何日も洗っていないのか埃で白くなっていた。大きな素足に革のサンダル。だが、顔には父親にないものがあった。親しみとユーモア。ユウリはすぐにロルフが好きになった。

「突然申し訳ない」と、開口一番、彼は謝った。

ロルフの後ろから小さな細い女が顔を出した。浅黒いアジア人の顔だ。長い髪を真ん中で分け、野の花が咲くようににっこりと微笑んでいる。

「ガールフレンドのキムです。タイで知り合った」

キムは白いタンクトップにインド綿の長いスカートを引きずるようにはいていた。ノーブラで、タンクトップの下に小さな乳首が透けて見える。ユウリはどきっとして目を背《そむ》けた。キムが細い手を出して路子に握手を求める。同じような革のサンダルに、機能本位の大きなキスリング。二人はどう見ても、ヒッピーだった。

ほっとした路子がユウリに頷いてみせた。これなら、布団で寝ても文句は言わないでしょう、何を出しても喜んで食べてくれるでしょう、という顔だった。

リンゴの大きな吠え声がした。ロルフに向かって狂ったように尻尾を振っている。それを見て、路子とユウリは顔を見合わせた。父親以外、誰にもなつかないリンゴがロルフだけは一目で気に入ったとは。

「やあ、いい犬だね」

ロルフは飛びついてきたリンゴの大きな頭を撫でた。前足をロルフの胸に掛けて喜ぶリンゴの後ろ姿は、まるで一人の人間のようにも見えた。

「クラウスの犬よ。やはり兄弟だってわかるのね」

路子が驚いたようにつぶやいた。

その夜、帰宅した父親はロルフと抱き合って再会を喜んだ。しかし、心から嬉しいという訳でもなさそうだった。二人はあまりにも違っていた。

「兄さん、久しぶりだな」

「ああ、ママは元気かな」

「兄さんのほうがきっとよく知ってるよ。僕は絵葉書を出すだけだから」

「そうだな」

ロルフは父にインドで買ったという小さな水晶でできた象をプレゼントした。母には一枚の緑の布。そして、ユウリとシンリには、インド洋の海岸で拾った白い丸い石をくれた。

「ありがとう。いい記念だね」

父親は笑って受け取ったが、それはおよそ父の趣味には合わない代物だった。父はどんなに美しい物でも、民芸品の類《たぐい》を嫌っていたのだ。いずれ、寝室にある引き出しに入れられる運命だということは、ユウリにも想像がつく。しかし、路子は喜んだ。

「これで来年、夏のドレスを作るわ」

そう言って、何度も緑のつやつやした生地を撫でた。ロルフは嬉しそうに路子を見つめている。僕の母さんは綺麗だろう。ユウリは密《ひそ》かに誇らしかった。まだ三十代半ばの路子は息子の目から見ても美しかった。

ロルフは旅の話をした。三年前にヨーロッパ大陸を出て、中近東、アジアを抜け、ようやく日本に辿り着いた。これからアメリカ大陸に渡って南下し、マゼラン海峡を渡るのだという。

ユウリは、ロルフが話してくれる、インドの湖に浮かぶ素晴らしくゴージャスなホテルの話や、ガンジス川を流れる死体の話を黙って聞いていた。父親は尊敬しているが、ロルフは親しめて好きだった。二人が合わされば、素晴らしい父親になるのに。そう思っていた。

「これからもずっと旅を続けるのか」

父が尋ねると、ロルフは真顔で頷いた。

「ああ。そうしたいよ」

「なぜ」

「兄さんにはわからないんだよ」ロルフは気の毒そうに言った。「旅は麻薬みたいなものだ。一度始めるとやめられない」

「麻薬なんかやりたくないさ」

父親はそう言って端然とコーヒーカップを置いた。タイは外してあったが、父親はまだ白いシャツを着ていた。

「兄さんは真面目だから」

ロルフは顔真似をしておどけた。それを見て、キムが少し笑った。

「子供の前で麻薬のことなんか……」

父親は厳しい表情をした。

「ロルフは旅に出る前は何をしていたの」

とりなすように路子が聞くと、ロルフはちらと父親の顔を眺めた。代わって父が答えた。

「こいつはずっと放浪してるんだよ。根無し草だ」

「一度も一つの場所に落ち着いたことがないの？」

ユウリは思わず口を出した。大人の話に口を挟んではいけないと言われていたが、どうしてもロルフのような人生が想像できなかったのだ。

「前はあったさ。ボンで生まれて育って、その時は落ち着いていたよ。大学に入ってからパリに行って、それからはもう駄目だ。こうやって流れて行く。いろんな街に行って、様々な人と会って、それぞれの暮らしぶりを見る。それがいいんだ」

「へえ。いいなあ」

「そういう暮らしをしたいか？　ユウリ」とロルフが尋ねた。

「いや」その時のユウリは首を横に振ったのだった。「僕は一つの街で落ち着いて暮らしたい。たまに旅行に行くならいいけどね」

「ほう、どうして」

ロルフは興味深そうにユウリを眺める。

「わからないけど」

そう答えた自分が、ロルフに近い生活をしているとは。確かに路子の指摘は当たっていた。似ている。ユウリは楽しかったその夕食のことを思い出して苦笑いを浮かべた。


ふと気づくと、路子と伊藤がＣＤを選んでいた。

「母さん、疲れたから先に休むよ」

二人は仲良く同時に振り向いた。

「おやすみ。あさっての結婚式が楽しみだわ」

「僕もだよ」

「じゃあ。今夜はありがとう。これからもよろしく」

伊藤が手を握った。ユウリは居間に二人を残して廊下に出た。いずれ、この家にも滞在しづらくなるだろう。だが、どうせ日本には帰らないからいいのだと思い、ユウリは新しい人間関係ができたはずなのに、古いものが断ち切られるかのような寂しさを覚えた。もしかすると、ロルフが放浪を続けてやまなかったのは、同じような気持ちだったからではないかと思い至るのだった。変化に耐えられない人間は、自ら断ち切ろうとする。

かつては自分の部屋だったドアの前まで来ると、また思い出したことがあった。

4

ロルフの滞在中のことだった。

登校前、自分の部屋に地理の教科書を忘れたことに気がついたユウリは、困り果てて廊下に立っていた。厳しい先生の授業だから、どうしても持って行きたい。しかし、ロルフとキムはまだ寝ているはずだった。

ユウリはドアの前で耳を澄ませた。かすかな鼾《いびき》が聞こえてくる。こっそり忍び込めば、気づかれないかもしれない。決心し、そっとドアを開けた時、後ろから音もなく何者かが滑り込んだ。リンゴだった。しまった、とユウリは焦ったがすでに後の祭りだった。リンゴは父親のベッドの傍らに蹲《うずくま》るように、ロルフの寝ているベッドの裾に座り込んだ。

「リンゴ、駄目だ。おいで」

小さな声で叱ったが、リンゴはユウリの言うことなど聞かずにそっぽを向いている。諦めたユウリはそっと薄暗い部屋に入って行った。手探りで机まで歩いて行く途中、床の布団など使わずにユウリの小さなベッドで重なるように寝ている二人が目に入った。

大きなロルフが、人形を抱くようにすっぽりとキムを抱いて眠っていた。掛け布団ははだけ、二人の裸身がはっきりと見えた。見まいと思っていても、ユウリの目にキムの裸が焼き付けられた。キムの体毛はまったくなかった。まるで子供のような体型と体。驚いてユウリは立ちすくんでいる。

うう、とリンゴが低い声で唸った。第二の主人であるロルフをユウリの視線から守ろうとしているかのようだった。ユウリは慌てて机の上にあった教科書をひっつかむと部屋から走り出た。すると、廊下に路子が立っていた。厳しい顔をしている。

「どうして入ったの」

低い声音《こわね》で路子が問い詰めた。

「忘れ物があって」

「そんなの諦めなさい。大人の寝ている部屋に入っちゃいけない」

「ごめんなさい」

路子は白いフリルのついたエプロンをつけていた。フリルの一枚一枚がきちんとアイロンで伸ばされているのを、ユウリは悲しい思いで見ていた。父がそういう習慣を好むことはわかっていたが、それがなぜ悲しいのかわからなかった。自分が子供でいることが辛かった。

「早く学校に行きなさい」

そう言うと、路子は後ろ手にドアを閉めかけた。

「母さん、閉めちゃ駄目」

「どうして」

「中にリンゴが入って行った」

「馬鹿な犬だこと！」

その時、エンジンのかかる音が響いた。父親が出勤するところだった。慌てて路子が玄関に走って行く。解放された思いで廊下を歩き出すと、ドアの隙間からリンゴが走り出てきた。ユウリを肩で押しのけるように短い廊下を駆け抜け、玄関に向かって行く。息子を押しのけ、父親を見送りに出る獣。ユウリはその後ろ姿を憎んだ。母が嫌っていることも、ユウリの憎しみを倍加していた。

しばらく呆然としていたユウリは我に返り、自室のドアを閉めようとした。すると、中の薄闇に全裸のロルフが立っていた。

「ごめんなさい」

ユウリが目を背けると、ロルフは優しく笑ってドアを閉めた。

「いいんだよ」

5

リンゴを殺したのはいつだったのか。

ユウリは懐かしい自分のベッドに横たわり、開け放した窓から夜空を眺めながら考えている。

芝生に横たわっていたリンゴ。口から血を流して死んでいた。どうやって殺したんだっけ……。

しかし、思い出したくなかった。

ユウリはスーツケースから睡眠薬を取り出すと、ウイスキーと一緒に流し込んだ。


翌日、昼頃起きだすと、路子は出かけるところらしく外出の支度をしていた。

「よく寝られた？」

「うん」

まだ頭がぼんやりしている。ベルリンでは思い出しもしなかったことが次々に浮かんでくるのはどうしてだろう。ユウリは思い出の洪水に押し流されそうだった昨夜が不思議だった。

「時差ぼけなの？」

「そうみたい」

ユウリはコーヒーメーカーに入っているコーヒーをマグカップに注いだ。路子は心配そうにユウリを見ている。

「母さん、不思議だよ。どうしてロルフ叔父さんのことを今まで思い出さなかったんだろう。あんなに好きだったのに」

路子はそれに答えなかった。

「あなた、お酒とお薬一緒に飲むのやめなさいよ」

「なぜ知ってるの」

「今朝、すごい鼾だから心配になったわ」

それが記憶を曖昧にしているのだろうか。だが、もはや習慣になっている悪癖を改める気はしなかった。

「これから美容院に行くから、適当に食べて」

「母さん」

ユウリは、曇り空を眺めては折り畳み傘をバッグから出したりしまったりしている母親を呼び止めた。

「なあに」

「ロルフ叔父さんからのカードってどんなことが書いてあったの」

「どんなって」と、路子は絶句した。「別にたいしたことはないわよ」

「今度ドイツで会ってみようかな」

「誰と？」

「叔父さんと」

「何で」

路子は傘をバッグから出してテーブルの上に置くと、怪訝な顔をした。

「僕がどうしていろんなことを覚えていないのか知りたいから」

「何を思い出したいの」

路子は苛立ったように言った。腕時計を覗き込んでいるが、それが時間がないせいではないとユウリは思う。

「どうして父さんが僕と母さんを捨てたのか、とか」

「よしてよ！」

路子は強く短い言葉を投げかけると、さっさと家から出て行った。

ユウリはさらに言おうとしていたが、断ち切られた形になった。自分がリンゴを殺したから父親は恨んだのではないか。路子がロルフを好きだったからではないか、と。

午後は小説を読んで過ごし、ユウリは路子の帰りを待った。明日は挙式で、その後は伊藤がこの家に移り住んでくる。そうすれば、ユウリに関係のない家になるはずだった。

電話が鳴った。

「もしもし。伊藤ですが」

「ああ、ユウリです」

「よく休んだかい」

「ええ。昼まで寝てたから」

「それはよかった。路子さんは」

「美容院です。じきに戻ると思います」

「そう。じゃ、また夜に掛けるよ」

「あ、伊藤さん」

「何だい」

「式が終わったら旅行に行かれるんですか」

「路子から聞いてないの？　五日間だけハワイに行くんだ」

気恥ずかしそうに伊藤は答えた。五日間で、この家に別れを惜しもうとユウリは思った。


「ただいま」

路子の弾んだ声が響く。ユウリは本を閉じ、母が居間に入ってくるのを待った。

「お帰りなさい」

「予約したのに混んでたわ。どう、この色？　明日のドレスがグレイだから軽いほうがいいと思ったの」

路子は明るい茶に染めた髪を見せた。

「いいね。似合うよ」

「家に帰ると、そう言ってくれる男の人がいるのはいいわね」

「すぐにそうなるじゃないか」ユウリは微笑む。「ね、母さん。ロルフ叔父さんがくれたインドの緑の布、覚えてる？」

「ええ、そういえば貰ったわね」

路子は振り向いた。ロルフの話になると、母が緊張することに気がついていた。

「あれでドレス作った？」

「作らなかったわよ、どうして」

「あんなに気に入っていたのにどうして作らなかったの？」

「なぜそんなことが気になるのかしら」

「ロルフ叔父さんはいつ、どうして帰ったのかと思って」

「覚えてないわね。確か二、三週間いたんじゃない」

路子は曖昧に話をぼかすと、台所に入って行った。ユウリは後を追いかけた。

「ねえ、父さんとどうして離婚したのか教えてくれない」

「どうして知りたいの」

路子は冷蔵庫を覗き込んだまま、こちらを向かなかった。

「僕があの犬殺したからじゃない？　それがばれたんじゃない？　それとも違う理由があったの」

驚いたように路子は顔を上げた。

「あなたは思い違いをしてるのよ」

「どういうことかな？」

路子は立ち上がり、冷蔵庫のドアをぱたんと閉めた。まっすぐにユウリに向き直り、憐れむように見た。

「あの犬を殺したのはあたしだもの」

「違うよ。僕が父さんのゴルフクラブで殴ったんだよ」

路子は苛立ちを強めたように、語気を荒くした。

「そうかもしれない。でも、その前にあの犬に毒を盛ったのはあたしなのよ」

ユウリは路子の顔に現れた荒々しい形相を息を呑《の》んで見つめている。

「どうしてそんなことをしたの」

「あなたに悪さをしたからでしょう」

路子はそう言い捨てると、寝室に入って行き、なかなか出てこなかった。


夜半過ぎ、雨がとうとう降り出した。ユウリは部屋の窓から庭を眺めた。暗く、昔と違って草が生い茂っている。だが、ユウリはあの光景をはっきりと思い出している。

リンゴは、芝生の上で舌を突き出し、口から血を一筋流して倒れていた。その黒い姿を、ユウリはこうして部屋から眺めていたのだった。九月の夕方のことだ。まだ暑い日射しがリンゴを照らしている。

もうじき父が帰って来る。叱られる。そう思うと、恐ろしさで体が震え、どうしても止まらなかった。しかし、父親のゴルフクラブで頭を殴りつけたのは、紛れもなく自分自身なのだ。午後、学校から帰って来ると、家には誰もいなかった。路子は幼稚園にシンリを迎えに行ったらしい。ロルフは外出していた。庭に回ると、ガレージの裏でリンゴが寝ていた。そこだけ芝生が少し伸びている。その草の間に鼻を突っ込むようにしてリンゴはぐっすりと眠り込んでいた。起こさないように忍び足で庭を歩きながら、にわかに湧いた殺意。

どうしてこんな犬に脅かされるのか。このまま死んでしまえばいいのに。ユウリは玄関に戻ると、父親のゴルフクラブを手にして庭に走った。リンゴはまだ目を覚まさない。ユウリは思い切ってクラブをリンゴの大きな頭に振り下ろした。堅い頭骨に当たってクラブは跳ね返されたが、ちょうど眉間にめりこむのが見えた。リンゴが薄目を開けた。ユウリはもう一度振りかぶって力任せに振り下ろしたのだった。そして、ゴルフクラブを草にこすりつけて拭い、また元の場所に戻した。

路子が言うのが本当だとしたら、ユウリは毒を盛られて弱っていたリンゴを殴ったことになる。確かに、リンゴのような敏捷で賢い犬が、九歳の子供に背後から頭を殴られるままになっているはずはなかった。

リンゴは自分に悪いことをしたのだ。

ユウリは窓を閉めた。途端に雨の音が遠くなる。ユウリは自分のベッドを見つめた。

「あなたに悪さをしたからでしょう」

路子の言葉で、また記憶の扉が開いた。しかし、それは忘れていたい悪夢だった。

あれはいつだっただろう。まだロルフが滞在している頃だった。

キムが一足先にタイに帰国することになり、皆でささやかな送別会を開いた晩のことだった。

「きみに部屋を明け渡すよ」

ロルフがユウリに言いに来た。

「いいよ。叔父さん使って」

「いや、また忘れ物を取りに来られると困るからね」

「すみません」

「いいんだよ」ロルフは片目をいたずらっぽく瞑《つむ》ってみせた。

ロルフは客間に引っ越した。その晩からだった。リンゴが夜中に部屋に入って来ては、ユウリの寝ているベッドの下に蹲るようになったのは。ロルフと間違えているのだ。

「あっち行けよ」

ユウリは夢の中でそう叫んだような気がする。しかし、リンゴは自分の命令など聞かない。耳を立て、闇の中から飛びかかろうとするように床に伏せたままこちらを窺っているのだ。ユウリは恐ろしさに震えて眠った。

しかし、朝になるといつも、あれは夢だったのかと思うのだった。リンゴはいつものように居間で寝そべったり、父親にじゃれたりしている。犬はドアを開けられないのだから、夢かもしれない。あまりにリンゴを怖れるために夢の中にまで登場するようになったのだ。ユウリは自身の怯懦《きょうだ》の現れと思い、そのことを誰にも言わなかった。

何日目の夜だったか。ユウリは寝苦しさに目を覚ました。リンゴがユウリの下腹部を舐めていた。おぞましさにはっとして起き上がると、リンゴはユウリの体の上に覆い被さるようにして見下ろしていた。喉を狙っている。ユウリは恐ろしさに心臓が止まりそうになった。

「た、助けて……」

辛うじて声を上げると、リンゴは素早く逃げて行った。ドアが少し開いている。ユウリは夢を見たのかと思い、ベッドサイドの照明を灯した。黒い犬の毛が落ちていた。

ユウリはスリッパを突っかけると、二階に駆け上がった。

「父さん」

寝室をノックすると、しばらくしてドアが開けられた。しかし、ごく細くだった。密やかなスタンドの光が漏れてくる。中を覗き込もうとすると、父がドアを押さえた。見てはいけないのだとユウリは悟った。

「どうした」

「リンゴが僕の部屋に来るんだ」

言った途端に涙が出てきた。

「リンゴが？」

「毎晩来るんだ。そして、喉を狙ってるんだ。僕、怖いよ」

その時、奥から路子の声がした。

「クラウス、見て来てやってよ」

「夢に決まってるじゃないか」

「でも……」

「きみは子供をスポイルしすぎるよ」

路子の声は明らかに泣き声だった。父親の声はリンゴを躾る時に発する声に似ていた。きっと、二人は喧嘩をしていたんだ。僕のことどころじゃないんだ。ユウリは闇の中に一人で戻ることを思うと、恐ろしさにまた泣き出した。

「どうしたんだい」

奥の客間から、ロルフが顔を出した。救いを求める気持ちでユウリがそちらを見遣《みや》ると、父がぴしゃりと言った。

「何でもないよ。ロルフ。お休み」

ロルフは肩をすくめてすぐに引っ込んだ。

「父さん……」

「男の子はそんなことで泣くんじゃないよ。リンゴは父さんが叱るから」

父はそう言うとドアを閉めた。ぴしゃっと閉じられたドアの音。父親が自分を拒絶した音だとユウリは思った。

部屋に戻ってもしばらく眠れなかったユウリは、話し声を耳にしてそっと部屋を出た。居間に小さな灯りがともっていて、そこでロルフと路子が話しているのだった。路子は泣き、ロルフは困ったように額に手を当てたままだった。ユウリは足音を忍ばせて自室に戻ると声を潜めて泣いた。

翌朝、ウイスキーと睡眠薬のせいで泥のように眠ったユウリが目を覚ますと、枕元に路子が立っていた。

「早く起きてよ。式に間に合わないわよ」

「わかったよ」

「良かったわ。晴れて」

路子はカーテンをさっと開けた。部屋に初夏の光が満ちた。路子は昨夜のユウリとの話を忘れたかのように浮き浮きと振る舞っている。反対に、ユウリの心は重かった。

コーヒーを飲み、路子がアイロンをかけてくれた一張羅のスーツに腕を通す。路子は化粧を終えると、明るいグレイのシルクドレスを着た。よく似合っていた。

「母さん、今夜から新婚旅行？」

路子は照れくさそうに笑った。

「そうよ。あなた、好きなだけいてちょうだい」

「母さんたちが帰る前に出て行くよ」

「なぜ」

路子は悲しそうな顔をした。

「だって、ここは伊藤さんと母さんの家じゃないか」

「あなたの家よ。ずっといたっていいのよ。あなたさえよければ」

ユウリの家ではなかった。ユウリの家は、ベルリンの狭いアパートだった。

「いや、もう二度と帰るつもりはないよ。僕はあの部屋や、リンゴの死んだ庭を見たくないんだ」

路子は聞きたくない様子で、ドレスとお揃いのバッグを手に取った。が、すぐに諦めてユウリの目を見た。

「ねえ、ユウリ。覚えていなくてよかったことだってあるのよ。無理に思い出すのは止めた方がいいわよ」

「無理に？」

「ええ。忘れてるならそれでいいのよ」

「僕は父さんに捨てられたことは、一生忘れられないよ」

路子は驚いて顔を上げた。服のせいで明るく見えた顔色が、いっぺんに蒼白になった。

「本当にそう思ってたの。あなたは捨てられたんじゃないわ」

「父さんは僕が犬を殺したから許さなかった」

「クラウスはそのことに気づいていない」

路子はきっぱり言った。

「じゃ、どうしてシンリだけを連れていったの？」

「あたしがあなたを残して欲しいって頼んだからなのよ」

ユウリは路子を見つめた。路子は何度も頷いた。そうなのよ、そうだったのよ、と。

「どうして僕を残したかったの」

「あなたは父さんと一緒に行きたかったの？」

「わからない。でも、拒絶されたように思った。リンゴのことを許さないのだと」

「そうだったの」と路子は肩を落とした。「あたしはあなたがあのことで傷ついただろうから、手元に置きたかった。ドイツに行かせたくなかった。結局、あなたは行ってしまったわね」

「あのことって何？　母さんとロルフ叔父さんのこと？」

何かに打たれたように路子が驚愕するのがわかった。

「それであなたはクラウスについていきたかったのね」

裏切られた表情を隠せずに路子は俯き、やがて引き出しから古い手紙の束を出した。

「ロルフのクリスマスカードよ」

ユウリは手の中に押しつけられた手紙の束を眺めた。すべて平凡な絵柄で当たり障りのないことが書かれている。住所はボンだった。だが、アメリカから来た一番古いカードにはこうあった。

『ユウリと、あなたに申し訳ないことをしました。一生、許しを乞います。ロルフ』

その時、車の音がした。すぐに玄関のチャイムが鳴る。伊藤が迎えに来たらしい。路子はしばらくユウリの顔を見つめていたが、思い直したように玄関に向かって行った。それが、昔の話をした最後だった。

6

結婚式の三日後、ユウリはベルリンに戻った。

飛行機からベルリンを見下ろすと、白く輝く厚い雲に覆われていて下は全く見えなかった。日暮れ時だとユウリにはすぐわかった。この雲が現れると、ベルリンには短く美しい夏が訪れるのだ。

アパートの部屋で、ユウリはさんざん迷った挙げ句、クリスマスカードに書いてあった電話番号にかけてみた。最近のカードの住所はボンだった。

「はい」とすぐに男の声が出てきた。

「ロルフはいますか」

「私ですが」

「ロルフ叔父さん、ユウリです。カール・有理・リヒターです」

「おお、ユウリか。覚えているよ。元気かい」

懐かしいロルフの太い声がした。

「ええ」

「幾つになったかな」

「二十九歳です」

「ミチコは元気かい」

「三日前に日本人と結婚しましたよ」

「そうかい。よかった」ロルフは屈託なかった。「クラウスには会ってるかい」

「いえ、一度も」

「それは残念だ。私も同じ街にいながらしばらく会ってないけどね」

ロルフは沈んだ声になった。

「よろしければ、お会いしたいんですけど」

「いいとも。嬉しいね」一転して、ロルフの声が弾む。

「どこに行けば会えますか」

「夜なら店にいるよ。昼間なら家においで」

ロルフは店の住所を告げ、必ず来るんだよと何度も念を押した。


数日後、ユウリは汽車に乗ってボンに向かった。ロルフが教えてくれた店に行ってみると、場末のけばけばしい小さなバーだった。「ロルフの店」と青いネオンサインが出ている。ためらいながら暗い階段を降り、地下の店に入って行く。すると、カウンターの初老の男がさっと振り向いた。セーラー帽に横縞のTシャツ、ジーンズ。男のなりをしているが、眉を薄くして筆で描いていた。そして口紅。目が悪いらしく、細めてこちらを窺っている。

「さあさ、どうぞ」

ロルフだった。ユウリとわからない様子で科《しな》を作り、カウンターの椅子を勧める。染めているのか、髪だけは不自然に黒々としていた。ユウリは入らずに、手を挙げただけでくるりと引き返した。あの晩、自分の部屋に入ってきたのが、リンゴではなくロルフだったことにようやく気付いたのだった。ユウリは階段を駆け登り、表に飛び出した。石畳の街を覆う夜の闇。ユウリは早くその中に溶け込もうと急ぎ足で歩きだした。

ophiuchus

蛇つかい

蛇つかい

人生には予想もつかないことが起きる。

常々そう思ってはいるものの、可もなく不可もなく、すでに四十五年生きてきた睦美《むつみ》の想像力の範囲では、それは人生訓程度でしかなかった。かといって、楽天家だというわけではない。突然、病に倒れて半年で死ぬ運命になるとか、交通事故に遭うとか、想像でき得る不運にはそれなりの覚悟があり、用心深く生きているつもりだ。

だが、学生時代から付き合っている同年の夫と仲よく暮らし、子供も持たなかった睦美の日々は、優しくかつ退屈に過ぎてゆく。まるでエレベーターの函《はこ》のように容積の変わらない関係の二人が、日常という名のビルディングを上下する毎日。それが、いつか終わる。睦美にとっての人生とはそういうものだった。

陽が傾くと、風が急に冷たく感じられる五月の日曜日のことだ。

睦美と夫の靖史《やすし》は久しぶりに近所のコートでテニスを楽しみ、それから遠回りをして輸入食料品を売っている洒落たスーパーマーケットに寄った。すべてにこなれた様子の男女が、見たこともない南国のフルーツや高価で稀少な食品を無造作にカートに投げ込んでいる。睦美は、自分たち夫婦もそんな丸みと艶を感じさせているだろうと誇らしく思った。休日の晴れがましい満ち足りた気分がずっと続いていた。

「ねえ、やっちゃん、スキヤキにする？」

どうせ自分に任せる気だろうと予想しながら睦美は尋ねた。だが、靖史は冷気が噴き出して底冷えのするミート売場から離れようとしていた。

「それより、俺、鰹《かつお》食いたいな。初鰹」

睦美は驚いて靖史の顔を見た。靖史は魚嫌いだった。魚に関する知識もほとんどなく、結婚前に行った寿司屋でトロがマグロの一部分だと知らなかったので大笑いしたことさえあった。

「あなた、魚嫌いだったのに、どうして？」

「さあ、歳のせいだろう」

とぼけたように言う靖史を、睦美は愛情をこめて好ましく眺めた。親より兄弟より親しく、張り合ったり傷つけ合ったりもしない、血の繋《つな》がらない「血縁関係」。二人の間には、中華料理のように片栗粉で固めにとろみをつけた餡《あん》がぬらりとかけられているはずだ。それは「運命」という名の餡だ。

結局、鰹のたたきと白ワインなどを買い込み、心地よいテニスの疲れと充実感を分け合って二人は帰宅した。睦美は、まだオレンジ色の西陽が射している居間に留守番電話のランプが点滅しているのに気がついた。何の気なしにボタンを押すと、ネクターのように甘く粘りけのある若い女の声が滑り出した。

「もしもし、わたし、広田美保と申します。今日お電話したのは、ぜひとも奥さんにわたしのことを聞いていただきたいと思ったからです。わたしは靖史さんと付き合って、もう一年になりますけど最近すごく冷たくて、電話をしても出てくれないし、手紙を書いても返事をくれません。これは人間としてもすごく失礼なことなんじゃないかと思います。わたしは誠心誠意付き合ったのに、こういう仕打ちを受けるなんて絶対に許せません。どうせ奥さんにはわたしのことなんか言うわけないんだから悪いと思いましたけど、聞いてほしくて電話しちゃいました。またあとでお電話します」

睦美はしばらくぼんやりしたまま電話を見つめていた。まるで、誰かに巧妙に騙《だま》されている気がした。そう、「どっきりカメラ」のように。が、ふと気がつくと靖史が横に立っており、Ｔシャツの上に羽織《はお》ったフリースの、縫いぐるみのような柔らかな生地が睦美の腕を擦っていた。靖史は怒りを抑えられないように、甲高い声を出した。

「少し頭のおかしい女なんだ！」

睦美は靖史の顔をゆっくりと見上げた。靖史は困っている時の癖で、右の耳たぶを右手でぎゅっと引っ張っている。せっかく「どっきりカメラ」だと思ったところだったのに。

「頭はおかしいかもしれないけど、嘘でこんな電話してくるかしら」

睦美は自分が意外に平静なのに驚いていた。むしろ、靖史ではなく、広田美保から事実をはっきり聞きたかった。が、靖史は繰り返した。

「頭がおかしいんだ。信用するなよ」

「広田さんて会社の人なの？」

「違うよ」と靖史は首を強く振った。少し子供じみた仕草だった。「フリーライターだよ。売れないフリーライターだ」

靖史は編集プロダクションを主宰している。が、一度として仕事仲間に対してそんな言い方をしたことはなかった。

「で、その人と関係があったわけね」

「いや、ないよ」と靖史が否定したときだった。電話が鳴った。素早く、靖史が受話器を摑んだ。

「もしもし……どういうつもりなんだ、きみは。卑怯《ひきょう》はそっちだよ。責任を取るのはきみだよ」

怒りを押し殺した声で靖史が喋《しゃべ》りだしたとき、睦美はすべて本当のことなのだと感じた。

「きみが勝手に思いこんで、勝手に物語を作ってるんだよ。……いや、駄目だ、女房は出させないよ。きみが何言うかわかんないんだから、出すわけないじゃないか」

靖史の耳に押しつけられた受話器から、はみ出すようにくぐもった女の声が漏れ出てきた。

「そんなあっ」とか「じゃあ、言うけどねっ」と、破裂するような音だった。

「あたしが話すわ」と、睦美は受話器を離すまいとしがみつく靖史の腕を摑んだ。「お願い、あたしが話す。そうしないと埒《らち》があかないんでしょう」

急に出番のなくなった役者のように、屈辱に満ちた顔で靖史は受話器を差し出した。睦美は威厳を保って、もしもしと言い、受話器をしっかりと握った。

「あ、すみません。お騒がせして」女は急に神妙になった。

「広田さん、おいくつですか」

「三十一です」

「フリーライターをしてるそうですね」

「そうです。すみません、こんなことばらしちゃって。でも、靖史さんはあたしの仕事の口も切ってしまったんで困ってるんです。あたし自身が三十過ぎて山場に差しかかってるっていうんですか、そんな状況なんです。だから、奥さんにこんなこと話すなんて思ってもいなかったんだけど我慢できなくて」

堰《せき》を切ったように、広田美保が話し出した。ふと、後ろを振り返ると、パックのまま放り出されて表面をどす黒く変色させている鰹のたたきと同様、靖史はキッチンのテーブルでうなだれている。

「去年の夏から私の部屋に来るようになったんです。居心地がいいってその頃はほとんど入り浸りでした。だからもう、すごく好きになって離れられなくて、一緒に暮らしたいって言いました。そしたら、いいよ、女房と別れることができたら一緒になろうって。本当なんです、これ。本当にそう言ったんです。あたし、なにも奥さんを苦しめたり、いやな気分にさせようと思って嘘を言ってるんじゃないんです。あの人、本当にあたしにもこんな事を言う、いい加減な人なんですよ。それを知ってもらいたいと思って」

「あの、広田さん」突然、睦美は疑問を口にした。「あの人、魚食べましたか？」

「ええ。肉より好きだって」

「そうですか。ちょっと先に夫婦で話し合いますから、失礼します」

止まらない美保の声を封じるように、睦美は受話器を置いた。その音にほっとしたように靖史が顔を上げた。睦美は洗面所に歩いて行った。帰ってきてから、まだ手も洗っていないことに気づいたのだ。靖史がその後を追ってくる。

「ごめん。申し訳ない。ムー、きみだけだから。本当に俺、きみしか愛していないから。わかってくれよ。な、わかってくれよ」

睦美は靖史を押しのけて便座に腰かけるとドアに鍵をかけ、そのまま両腕で頭を抱えた。こんなことが自分の人生に起きたことがまだ信じられなかった。

翌朝、一言も口をきかない睦美に根負けして靖史が出て行ったのを見計らったかのように、広田美保からまた電話がかかってきた。

「もしもし、昨日はお騒がせしてすみませんでした」

「事実のようだから、仕方がないと思いますよ。でも、あなたも大人ならこちらを騒がせないでくださいね。責任を取れと言われてもお互い様じゃないのかしら」

「はあ」と沈んだ声で応えた。「別に、離婚してくれとかそういうことを言ってるんじゃないんです。ただ、あたしはもっと誠意のある答えをしてほしいだけで」

「うちは夫婦二人だから別れてもいいとか、そんなことを匂わせたんですか。あの人」

「二人でどこかに行ってしまおうとよく言ってました。北海道に行った時もこのまま帰らないで駆け落ちしようねって。北海道の熊さんになって、そのまま森で暮らそうねって」

北海道出張は去年の秋だった。靖史はいつもどおり上機嫌で帰ってきて、ラベンダーの入浴剤を土産に買ってきたのだった。それにしても駆け落ちだなんて、熊さんになるだって。睦美はおかしくなって、つい笑いを浮かべた。靖史はメルヘンぽい物言いや物語を死ぬほど嫌っていたのに。

「あの人はあなたとはどんな付き合い方をしてたのかしら。なんだか突然のことなので、全く考えられないの」

「どんなって言われても何て言えばいいのか。ただ歳が違うから、あたしのことはうまく教育しようとしていたんじゃないでしょうか。本を読めって買ってきたりして」と、美保は何冊かベストセラーの名を挙げた。それは睦美に勧めた本と同じだった。が、美保は意地悪く付け加えた。

「靖史さんて啓蒙好きですよね。おじさんの証拠かもしれないけど」

「こんなこと聞きたくないけど、中絶したりはしてないでしょうね」と、思い切って睦美は尋ねた。

「それはないです。でも、靖史さんはサディストだから怪我をさせられそうになったことはあります」

「何ですって」と、叫んだような気がしたが、それは幸い言葉にならなかった。これこそ予想もしていないことだった。

「こんなこと言って恥ずかしいですけど。でも、靖史さんはあたしのことをマゾヒストの傾向があるって最初から見抜いていたんだそうです。奥さんもそうなんでしょう。違います？」

昨夕と違って、午前中の美保の声は野外で飲む砂混じりのコーヒーのようにざらざらしていた。息を呑んだ睦美の空気を察してか、美保は慌てた声を出した。

「あの、すみませんでした。余計なことを言っちゃって」

「いえ、大丈夫ですよ。けどね、その話だけど怪我するほどってどういうことなの」

「はあ、首を絞める時があるんです。その時にやり過ぎて危ないことがありました」

睦美に靖史の話をすることで溜飲を下げているのは間違いないのだが、妙なことに、睦美も美保の口をついて出る靖史の話が聞きたかった。二人の性の話など聞くまいと思っても、自分の見知っていたはずの靖史は違う男だったということが不思議でならなかったのだ。美保からはそれからも時々電話があった。

数週間後のある晩、飲んで帰ってきた靖史は早々と眠り込んだ。靖史は睦美に全面的に許されたとは思っていない様子だったが、少なくとも別れ話が飛び出さないことに、安堵《あんど》しているらしい。すると、電話が鳴った。

「もしもし、美保です。遅くにすみません」

「どうしたの」

思えば妙な関係だと思いながらも、睦美はいつも電話を切れなかった。

「すぐ終わります。あのね、雑誌で面白い記事を読んだの。ホロスコープって十二星座あるでしょう。あれ今度から十三になるかもしれないってご存じですか」

「いいえ。知らないわ」

「蛇つかい座っていうのが増えるんですよ。気持ち悪いでしょう。それがね、蠍座《さそりざ》と射手座の間に入るんですって。だから、靖史さんは射手座の男じゃなくて蛇つかい座の男なんですよ。ただ、それだけ」

嘲《あざけ》るように笑って美保は電話を切った。射手座ではなく、蛇つかい座の男。睦美は鼻の横に脂を浮かせて眠っている靖史の顔を眺めた。これも思いもかけないことではないか。蛇つかい。蛇をこの手で摑《つか》んだことなど一度もないのに、ぬらぬらした白い大蛇を持ち上げる重さを想像し、睦美は突然、激しい嫌悪に駆られた。気がつくと、思わず、靖史の背中をどんとこづいていた。寝入りばなを叩かれた靖史は不機嫌な顔で目を開けた。

「ああ、びっくりした。何だよ」

「あなた蛇つかいなのね」

靖史は答えずにまた目を閉じた。二十数年も信じていた男とは似ても似つかない男がここにいて自分に背を向けている。だが、睦美の両腕にはまだ重く冷たい蛇が乗っている。これをどうほどけばいいのだろうか。人生には思いもかけないことが起こるものだ、と睦美は見えない蛇を抱えて、大きな吐息をつく。

diorama

ジオラマ

ジオラマ

春の雪が降っている。空中で結晶が融解してしまいそうな、水分をたくさん含んだ重い雪だ。積もるほどの力はない。溝口昌明は、雪がひっきりなしに黒い土に吸い込まれていく様を思い浮かべながら、ぼんやりと空を眺めていた。

九階にあるこの部屋から地面を見ることはできない。雨はいつも水の直線で、雪は白い斑《まだら》模様のカーテンだった。道はぬかるんでいるのか、どのくらい雪が積もったのか、すべて空の様子から想像するしかなかった。しかし、青空は明るいスクリーンとなって心を輝かせるし、曇った日はそれなりに気分が落ち着いた。

こんな具合に空ばかり眺めることができるのは、マンション暮らしの意外で嬉しい発見だった。地に足が着かない、と最初嫌っていたこの生活もそう悪くはない。三十七歳の昌明は久しぶりに幸せな気持ちになって、妻のほうを振り向いた。

美津子は、わざわざデパートで買ってきた香り高い外国の紅茶をいれている最中だった。ティーセットは嫁入り道具に美津子が持ってきたマイセンとやらの高価な品だ。普段は食器棚に麗々しく飾られている。

「それ、使うことあまりないね。高いんだろう」

昌明は目でティーセットを示した。二人は広いリビングルームにある食卓に向かい合って座っていた。

「ええ。確かボーナス全部遣ったような気がする。でも、結婚したら日曜くらいはこういうことしたいと思って買ったのよね」

美津子は、この行為が楽しくてならないという風に生き生きとした目を上げた。彼女も今、自分と同じ、ささやかだけれども温かな幸せを感じているに違いなかった。

家庭を持つと、こんな瞬間がある。赤ん坊の寝顔を二人で見守っている時や、妻が台所でもやしのひげ根を丹念に取っているのを眺めている時など。あまりにも月並みだと若い奴には笑われそうだが、経験すればわかるはずだった。愛する対象を持つことによって、逆に心を支えられるという喜びが。

昌明は妻を観察した。色白のところと、垂れ気味の大きな目が可愛《かわい》い。だが、三十四歳の今は、目尻に皺《しわ》ができた分だけ人の好《よ》い顔になった。子供を二人産んでからは全体にぽってりと肉が付き、ジーンズが似合わなくなった。

そんなことが何だろう。美津子は自分が馴染《なじ》んで大切にしている通勤鞄《かばん》や車と一緒で、毎日の生活になくてはならない大事な存在なのだ。そこまで考えてから、昌明は物と妻を同等にした自分に気づき、ふと笑った。

「どうしたの、何がおかしいの」

込んだ。

「何でもないよ」

美津子は昌明の前に紅茶をなみなみと注いだカップと薄く切ったレモンを置いた。自分の紅茶には温めたミルクを注いでいる。昌明は、美津子のカップの中にあるミルクの渦巻をしばし覗《のぞ》き込んだ。

「慎一は何時に帰って来る?」

「そうねえ」と、美津子は壁の時計を確かめた。「三時くらいじゃないかしら」

「麻奈は?」

「四時にお迎え」

九歳の慎一はサッカーの試合に行き、五歳の麻奈は近所の誕生会に呼ばれている。久しぶりに二人きりになった日曜の午後だ。

「何、考えてんのよ」

美津子は笑いながら昌明の顔を見た。目尻がさらに下がったなと昌明は思う。

「いや、別に」

たった今、妻を愛《いと》おしく感じ、すぐに抱こうかと考えたのだった。

「どうしたのよ」

美津子は紅茶を一口啜《すす》って、昌明の目を見つめる。誘っているようにも見えた。

「やるか?」

「いやよ」美津子は笑いだした。「もうじき帰ってくるもの、気が気じゃない」

そういう返事がかえってくるのはわかっていた。しかし、子供たちが寝静まってからの行為はあまりにも習慣と化していて味気ない。そんな思いを巡らせているうちに、昼間の欲望が気恥ずかしいものに感じられ、あっという間に失《う》せていった。男を幸せにする穏やかな家庭の味は欲望と無縁でもある。昌明はまた空に目を転じた。いつの間にか、雪は霙《みぞれ》に変わっていた。

「この分じゃ雨になるな。やむかなあ」

「天気予報はそう言ってた。四月になっても雪だなんて嫌だわね」

美津子はうんざりと眉根を寄せた。N市は冬の間、雪に閉じこめられる。やっと根雪が溶けて土が現れ、ほっとしたばかりだというのに、冬はなかなか去ってくれない。

「ねえ、青葉ハイツを買ってよかったと思わない？」

美津子が小気味よい音を立ててクッキーを囓《かじ》った。

「うん、よかったな」

昌明はさほど気のない返事をした。空を眺める喜びができたくらいで、たいした感慨もない。マンションよりは、庭の広い一戸建て住宅のほうが欲しかった。

青葉ハイツを購入したのは約一年前。それまでは銀行の社宅に住んでいた。古い建物だったが、間取りの広い割に信じられないほど家賃は安い。もう少し社宅で辛抱すれば一戸建て住宅の頭金になるくらい貯金も増えたはずだった。昌明は何も不自由を感じていなかったのに、青葉ハイツを買おう、いや買うべきだと美津子は言い張った。その強引さに、昌明は半ば押し切られる形で承知した。

美津子が青葉ハイツを欲しがった理由は、「ステータスがある」というものだった。繁華街に近い高級住宅地に建っているし、4LDKで四千万という価格は、N市では破格の値段だ。そして何よりも、医者や弁護士、一部上場企業の社員にしか分譲しないという方針を取っているので有名だった。

しかし、この点では昌明にも言い分がある。自分の勤めるN銀行は、N市では知らない者のない一流企業だ。得てして地方銀行というものは、地元に遠慮がちで派手な社宅など建てないようにしているのだが、あの社宅だけは別だった。場所が便利な割に敷地が公園のように広く、古い建物ながら内部は広く贅沢《ぜいたく》に造られていた。それを知る地元の人たちに「N銀住宅」と呼ばれ、羨《うらや》ましがられていた。そこに住めること自体がステータスだったのだ。美津子だって結婚当初は、これで私もN銀住宅に住める、と喜んでいたではないか。

「あなた、本当に買ってよかったと思ってるの」

美津子は昌明の顔を心配そうに眺めた。

「思ってるさ。でも、社宅をどうして出ようと思ったんだよ。おまえだって、最初は友達にでかい顔ができるって気に入ってたじゃないか」

「最初はね。だけど、あの社宅、庭があったでしょ。あれが嫌だったのよ、あたし。マンションにはないから、その点気が楽よ」

「どうして？　庭があるので人気があったんだよ」

社宅は小ぶりな二階屋が二軒ずつ背中合わせになっていた。小さな庭がそれぞれに付いているので、犬を飼ったり家庭菜園ができる、と社員の間でも人気が高かった。昌明も芝生を買ってきて植えてみたり、近所から貰った薔薇《ばら》を接ぎ木したり、結構庭いじりを楽しんでいたのだ。

「奥さん連中は皆嫌がってたわよ。だって、春先になると、地面がぐちゃぐちゃになるでしょ。そうすると何だか惨めになるじゃない」

昌明はさっきまで、雪の落ちる地面を想像していたことを思い出した。地面の感触を懐かしむ気持ちがあるのは、昌明の本能に近い部分のような気がしてならない。

「そんな、惨めってほどのことかな。土っていいじゃない」

昌明は妻の言葉にこだわった。

「でも、洗濯物を干すのにも気を遣うし、子供が泥だらけになるから、いつも玄関が汚れるし、乾けば土埃《つちぼこり》が舞うし。庭なんか要らないわよ」

「そうか」

「マンションのメリットはまだあるわよ。何時でもゴミが出せるから嬉しい」

「でも、ゴミはいつも俺が持たされていたじゃないか」

昌明は反撃する。ゴミを出すのは昌明の分担だった。朝八時までに社宅のゴミ置き場に持っていかないと回収されない。夜中に出すのは禁止されていたので、身繕《みづくろ》いして出勤する昌明がやらされていたのだ。

「あなたには悪いと思っていたわよ」

「別に悪くなんかないけどさ」

「だって、社宅の奥さん連中によく言われていたもの。そんなことしてくれる人はお宅のご主人だけだって。あたしたちは浮いていたのかもしれないわ」

昌明は急に現実に引き戻された気がした。レモンを入れた紅茶の色が薄まるように、美津子を愛おしく思った柔らかな気持ちが希薄になっていく。マンションを購入したことで、社宅で築いた人間関係が断ち切られてしまったような、どこか違うところに所属したような中途半端な気分が蘇《よみがえ》った。

社宅に住まうのは面倒臭い面がたくさんあるものの、利点もあった。上司や同僚の趣味や家族関係、その暮らしぶりをよく知ることができる。そうすれば、上司に可愛がられるし、同僚には嫌われない。

昌明の職場は、人間関係にがんじがらめになっている窮屈さがあった。地縁や人脈をたくさん持つ者が有利で、縁故者には特に気を遣う。だから余所者《よそもの》に冷たく、地元の生え抜きを大事にする。社員がひとつの家族のように暮らすという頭取の方針もあった。美津子も結婚するまで行員だったから、そのしがらみはよくわかっていたはずだ。二人は十年前に職場結婚をしたのだった。

「そんな、ゴミくらいのつまらないことで浮くかね」

「浮くわよ。つまらないことに見えることが、案外、その家のすべてを表すものよ。次長の奥さんは一度もお布団を干したことがないわ。ベッドだからとか言い訳してたけど、昼間も寝てるからよ。あそこの子供だって、いつも汚れたズックを持って来てたし、忘れ物が多かったわ。だらしないのよ。それから、週に一回、皆で敷地をお掃除するでしょ。後で部長のお宅でお茶することになってるの。いつも課長の奥さんがインスタントコーヒーにお砂糖を二杯必ず入れるのよ。あの人はそういう決まり事が大好きな人なの。必ず一人二杯ずつ。その量も決まってるのよ。あたしたち課長代理やヒラは、要《い》りません、なんて言えないの。すごく甘くて不味《まず》いけど、皆必死で飲むわ。そして止《とど》めに甘い駄菓子が出るのよ。ケーキでも買えばいいのに、いつも駄菓子。あの貧乏臭い儀式が死ぬほど嫌だったわ」

「お前、そんなこと一度も言わなかったじゃないか」

「言えば、まずいことあるでしょう」

「ないよ」

さあ、どうかしらという疑わしそうな目をして美津子は昌明を見た。昌明は、美津子が青葉ハイツをどうしても購入したいと言った訳がようやくわかった気がした。ステータスはそのままで、面倒臭いことはしなくていいからだ。

「なるほどね。じゃ、社宅の奥さんたち、ここに遊びに来ないだろう?」

「本田さんだけ何度も来たわ。彼女は自分も買いたいって、すごく羨ましがっていた」

本田の妻は、美津子と同期だった。社宅でも一番の仲良しだったようだが、皮肉なことに本田と昌明はそりが合わなかった。昌明はN市で生まれ育って地元の国立大を卒業、そのまま入行した。N市から一度も離れたことがない昌明に対し、Uターン組の本田は、東京の都市銀行からの途中入行だ。すぐ「東京では」と言うのが口癖なので、地方銀行が馬鹿にされているような気がして不愉快だったのだ。家に遊びに行っても、彼らが来ても、妻たちがお喋《しゃべ》りに興じているのを横目で見ながら、お互いに話が途切れて困惑することが多かった。

「それ以外は来ないか？」

「他の人は一度来たきりね。うちがまんまと脱出に成功したと思って悔しいのよ」

美津子は二杯目の紅茶を二人のカップに注いだ。優美なポットの口から、紅茶が垂れて白いテーブルクロスに染みをつけた。脱出ねえ、と昌明は複雑な思いで染みを眺めている。まさか、そこまで美津子が社宅を出たがっていたとは気付かなかった。自分は鈍いところがあるのだろうか。反省しかかったところで甲高い少年の声が聞こえた。

「ただいま！」

あっ、帰って来た、と美津子の顔が綻《ほころ》び、嬉しそうに昌明の目を見る。

「早いじゃないか」昌明は部屋に駆け込んで来た息子に聞いた。「試合どうだった？」

「負けたよ。それより、お父さん、公園行こうよ」

慎一は背中まで泥を跳ね上げたダウンジャケットをもどかしそうに脱ぎ捨て、息を切らして話しかけた。慎一の全身から外気の冷たさと湿り気が感じられる。

「嫌だよ、こんな日に」

昌明は空模様を振り返って確かめた。いつしか霙は細かい雨に変わっていた。慎一は昌明のセーターを引っ張った。

「だって、しばらく行ってないじゃない。郷土資料館行こうよ」

「駄目だよ。あそこは四時には閉まっちゃうんだ」

「何だよ、折角走って帰ってきたのに」

昌明は二人の子供を市内の公園にある郷土資料館によく連れて行った。その庭園に復元した縄文・弥生時代の住居があるので、子供たちは気に入っているのだった。

「約束した覚えはないな」

「雪が溶けたらって約束したよ」

「そうだったかな」

「じゃ、来週だよ。約束したからね」

慎一は不満顔で舌打ちしながらダウンジャケットをまたぎ、洗面所に手を洗いに行った。昌明は静かなひとときが破られたのを感じた。もう少し妻と社宅の話などをしていたかった。同意を求めようと美津子の顔を見遣《みや》ったが、彼女は息子のジャケットやバッグを拾い集めるのに夢中で、昌明の視線にはもう気付かない。

やがて、麻奈が予定より早く誕生会から帰ってきた。最近は招いたほうがお返しに品を贈ることになっているらしく、キティちゃんのイラストの入ったノートやハンカチを得意気に慎一に見せびらかしている。慎一が取り上げようとして、今にも喧嘩が始まりそうだ。面倒になった昌明は仲裁を美津子に任せてソファに移り、居眠りでもしようと目を閉じた。

風呂上がりに、昌明はタバコを買いに外に出た。

雨はすっかり上がり、星が幾つも見えている。大気は暖かく緩み、辺りには沈丁花《じんちょうげ》のいい匂いが漂っていた。午後早く、雪が降っていたことなど夢のようだった。春だ。昌明は心を浮き立たせ、湿ったアスファルトの道を近所のコンビニまでのんびり歩いた。

「セブンスター一カートン」

レジでタバコを買っていると、ごーっと自動ドアが左右に開いて女が一人入って来た。思わずそちらを見た昌明は目を奪われた。女の髪が真っ赤だったのだ。それも、紅花《べにばな》の芯のようなオレンジ味を帯びた赤で、誂《あつら》えたヘルメットみたいにぴたっと女の頭を囲っている。店員も女を見たが、こちらは若いせいかさほど驚いた様子もなく、レジから釣り銭を出すという仕事に戻った。

女はあちこちで無遠慮な視線を受けることに慣れているのだろう。平然と昌明を見返した。細い目が吊り上がって気は強そうだが、唇が熟れた果実のようにぽってりと柔らかく見える。そのアンバランスさが危うい美しさを感じさせる不思議な顔だった。だが、若くはない。目の下の隈《くま》を見て、二十代後半か三十過ぎ、と昌明は踏んだ。

燃え立つ赤い髪のせいで青白く澄んで見える顔に、髪と同系の蜜柑色《みかんいろ》の口紅をつけている。豹《ひょう》柄のフェイクファーのコートの下に黒のタートルネック。コートの裾《すそ》からちらちら見えるスカートは鮮やかな黄緑だった。普段、着衣に原色を使わない妻と暮らしている昌明は、それだけで衝撃を受けた。

世の中には派手な女がいるものだ。

それが、昌明の正直な感想だった。女は挑戦を受けて立つ、といった風にしばらく昌明を睨《にら》み据えていたが、黄色い籠を摑《つか》み、店の奥に消えて行った。昌明は週刊誌を眺めるふりをして、そっと後ろ姿を盗み見た。女の身長は昌明の肩程度で、さほど高くはない。だが、ヒールが十センチ以上はあるブーツを履いているので、立ち居振る舞いがそこらの男たちよりはるかに堂々としているように感じられる。自分には縁のない女だ、と昌明は週刊誌を棚に戻し、外に出た。

マンションまで、ほんの数分。その道すがら、昌明はあれこれ考えた。世の中にはいろいろな人間がいるものだ、と。女の奇抜な姿形と、強い眼差《まなざ》しを思い浮かべる。社宅に住んで銀行に通っていれば、職場以外の人間に会う機会はあまりない。せいぜい融資先の会社の連中ぐらいだ。地味なスーツを着て会社に行き、女房連中も同じようなパステルカラーの無害なファッション。休日は仕事仲間とゴルフに行くか、家族と車でファミリーレストランやデパートに行くのが楽しみ。他人と違うことが許されない生活だった。そういえば、夜、ふらりと一人でコンビニに買い物に出るなんて、滅多にしたことがない。

ここには監視のない街で暮らす気楽さがあるな、と昌明は小さな解放感を覚えた。が、その代わりに多額のローンというリスクを抱えたし、慣れ親しんだ世界からはみ出してしまったような不安があるのも事実だった。

新人の歓迎会に出席した昌明は、たいして酔いもせず早々に帰宅した。社宅を出てマンションに住まってから、二次会、三次会と飲み歩くことはしなくなった。あまり誘われなくなったのは、一緒に出勤して一緒に帰って来る共同体の生活様式から外れたせいもあるのだろうと昌明は思った。しかし、そうなってみれば以前の暮らしが信じられないほど不自然にも思われる。

「お帰りなさい」

玄関に迎えに出た美津子が憂《うれ》い顔をしている。十時過ぎだというのに、まだ化粧も落としていない。

「早かったわね」

「ああ。歓迎会って言ったって、今年の新人少ないからな。史上最低で三十人しか取らなかったんだ。男十七人、女十三人だ」

「三十人！」美津子は絶句した。「あたしたちの時は五十五人だったわよ。ほんとに景気が悪いのね」

昌明は靴を脱ぎ、独り言のように言った。

「今さえ凌《しの》げば何とかなるだろ。N銀が潰《つぶ》れっこないよ」

「そんなことになったら大変よね。ローンだってあるし」

「ああ。あるわけないよ」

二人は廊下を歩きながら、ぼそぼそ小声で会話した。子供たちはとっくに寝静まっている。美津子がリビングに入るのを待って、昌明はその背中に問うた。気のせいか、美津子の肩が下がっている。

「おい、何かあったのか」

「わかる？」

わかるさ、と頷《うなず》いて昌明は美津子と向き合った。厄介事が起きたのだろうとまず身構える自分がいる。世間と荒波を立てないように暮らす、銀行員の習性が骨身に染みついていた。

美津子は水色のトレーナーの腕をしっかり組み、下がった目尻を困り果てた様子でますます下げ、眉間《みけん》を狭めていた。そうすると、歳を食って見えると昌明は思った。

「何だよ。早く言えよ。慎一がどうかしたのか」

「それに近いんだけど」

苛立った昌明が通勤鞄を床にすとんと落とすと、美津子がしっと口に手を当てた。

「下から文句が来たのよ」

「えっ」タイを外していた昌明は驚いた。「この下の家か」

「そうなの。今夜、慎一と麻奈が大喧嘩してね、ばたばた走り回ったのよ。そしたら、すぐ、すぐなのよ。インターホンが鳴って『八一一号の者です』って。ドアを開けたら女の人が立っててね、こう言うのよ。『前から言おうと思っていたけど、お宅の子供さんの足音がうるさくて困るんですよね』って。その言い方がすごいのよ。もう一方的でね、きつくて。あたし謝るしかなかったわ。それから麻奈のピアノもうるさいし、ベランダの掃き掃除の音も何とかならないかって」

「何だよ、それ」

昌明は腹が立って、ソファに乱暴に腰を下ろした。自分たちはそれほど無神経に暮らしている訳ではない。社宅でだって気を遣って暮らしてきたのだから、他人に迷惑をかけない暮らしぶりには自信がある。それは、明らかないちゃもんではないか。理不尽な気がした。

「ねえ、信じられないでしょう。だって、このマンションは防音が優れているってパンフレットに書いてあったじゃない。そりゃ、うちは最上階だからわからないのかもしれないけど、そこまで言うことないじゃない。じゃ、どうやって暮らせばいいの」

「神経質なんだろ」

「ねえ、だけどどうしたらいいかしら。明日、何か持って謝りに行ったほうがいいわよね」

「いいよ、そんなことしなくて」

昌明はむしゃくしゃした。美津子の言葉を借りるなら、「脱出」したという自覚がようやく生まれ、この生活を楽しもうと考え始めたばかりだった。なのに、意外なところに伏兵が潜んでいたという気がしたからだった。

「だけど、その人よく見かけるから、会ったら気まずいじゃないの」

「そうか。どんな女だ?」

「知らない? 髪が赤い派手な女よ。一度見たら忘れない」

数日前、コンビニで会った正体不明の女が脳裏に蘇った。ああ、と昌明は口に出した。

「俺も見たよ。こないだ、コンビニにタバコ買いに行った時に見た。びっくりしたよ」

「ねえ、変な人でしょう? 結構いい歳してるのに若い子みたいに真っ赤な髪してね。さっきも、お化粧落としているから眉毛ないのに平気で文句言いに来たのよ。ピンクのTシャツだらしなく着て、オレンジ色のパンツ穿《は》いてるの。そのパンツに手突っ込んで態度悪いし。こっちも頭に来たわ。あんな人が住んでるなんて、いったいどういうことなのかしら。だって、ここは医者か弁護士しか入れないって言われたのよ。あたしたちだって、N銀行に勤めてるから入れたんじゃない。何してる人なのかしら。一人暮らしみたいだし。お金さえ払えば、誰にでも売るのかしら」

「医者か弁護士だったりしてな」

「まっさかあ！」昌明の冗談を真に受けて、美津子が素《す》っ頓狂《とんきよう》な声を出した。「そんな風には見えないわよ、絶対」

「冗談だよ。あんな医者や弁護士や一流企業の社員がいたらお目にかかりたいよ。幾つだか知らないけど、こんな高いマンション買えるんだから、どうせろくな商売をしてる奴じゃないだろう。気にするなよ」

「でも、また言われたらどうする」

「放っておけよ。何か言ってきたら、理事会にかけてやればいいんだよ」

「どうやって」

「変な格好して、このマンションの品位を落とす奴がいるって」

「そんなこと、幾ら何でもできないわよ」

昌明は半ば冗談で言ったのだが、挑戦的な視線を投げかけてくる女の冷ややかな顔が脳裏に浮かび、あの女をやりこめる方法はないかと本気で考えている自分を感じた。

その晩、昌明は妻のベッドに潜り込んだ。週末くらいしか体を重ねることはないので、半分眠りかけていた美津子は驚いたように声を出した。

「どうしたの」

昌明は黙ったまま、美津子のパジャマを乱暴にめくり上げた。急に冷気を感じたのか、大ぶりな乳房の割に小さな乳首が、硬く屹立《きつりつ》するのがわかる。それを強く摘んだ。あっと叫んだ美津子がずり上がりながら逃げようとした。昌明は美津子の頭を押さえつけ、声を塞ぐように顎《あご》を摑んで半開きの唇を吸った。歯磨きとリップクリームの味がした。

もがく妻を押さえつけているうちに、知らない女を犯しているような気がしていつになく硬く勃起した。今までそんなやり方で妻を抱いたことはなかった。美津子とのセックスは、慣れた仕草を繰り返すことで容易に快楽に導かれる、安心した行為だったのだ。

知らない男を見るような、美津子の怯《おび》えた目つきを確認すると、昌明はさらに荒々しい気分になった。もどかしく下着ごと美津子のパジャマのズボンを脱がせ、顔に塗られたナイトクリームのせいでべたつく指を膣《ちつ》に差し入れた。まだ潤っていなかったが、構わず強引に挿入する。

「痛い」

鋭い声で美津子が叫んだ。乱暴じゃない、と小さな声で抗議する。

「もっと声出せよ」

昌明は腰を動かしながら、耳元で囁《ささや》いた。

「やだ、そんなの」

子供部屋に聞こえないかと気にしているらしい。普段は自分もそれを怖れているのに、構わず昌明は命じた。

「声出せ」

「どうして」

「いいから声出せ」

乳房を強く鷲摑《わしづか》みにした。美津子があぁっ、と大きな声を出した。急に膣が滑らかになり、内部で蠢《うごめ》きはじめるのを感じる。

「もっと大きな声を出せ。下の女に聞こえるように」

馬鹿ね、と美津子が囁いたが、それは見知らぬ女の淫らな囁きに聞こえた。昌明は下の女の存在を意識した途端、ひどく興奮している自分に驚いていた。

それからの昌明は、赤い髪の女と会うことはないだろうかと毎朝毎晩、探した。会ったらこっちから文句のひとつでも言ってやろう、と気ばかり逸《はや》った。どんな文句を言ったらいいのか見当もつかないが、昌明にとってあの女は気に障る存在となったのだ。だが、生活時間が違うのか、朝の出勤時も帰りも、女の姿はどこにもなかった。もしや、女が来てやしまいかと思ってわざわざ出かけていったコンビニでも、見かけることはなかった。

郵便受けの名前も確認した。ローマ字で、ＩＷＡＫＩＲＩと出ているだけだ。岩切か、変な名字だ。そんなことまで腹立ちの対象になった。赤い髪の女はいったい何をしている人間なのか。昌明は素性を知りたくてうずうずした。


慎一と約束していた日曜日になった。

昌明は車で慎一と麻奈を公園の中の郷土資料館に連れて行った。気温は十五度。ようやく春めいた暖かな日和《ひより》だった。冬の間、積雪のために庭は閉鎖されるので、子供たちは久しぶりだと大喜びしていた。

「お父さん、僕たち、あそこで探検してるからね」

慎一は麻奈の手を引いて、庭を指さした。そこは高いコンクリート塀に囲まれた鬱蒼《うつそう》とした林で、中に縄文時代の竪穴《たてあな》式住居、弥生時代の高床式倉庫などが復元されている。出入りが自由なために、子供たちの格好の遊び場となっているのだった。

昌明は、雪が溶けてほぼ半年ぶりに姿を現した庭を眺めた。樹木の新芽や、黒土にぽつぽつと顔を出した草の緑が目に染みた。木蓮《もくれん》が白い花を咲かせ始めたし、小さな池のほとりにある水仙も満開だ。あちこちに植えられたソメイヨシノの蕾《つぼみ》が膨らんできているのを昌明は眩《まぶ》しい思いで見上げた。冬の間、茶色く乾き切っていた幹が黒く潤んでいるような気がする。

「春だなあ」

慎一はそんな父親の感慨にまったく無関心だった。

「早く行かないと他の奴らに家を取られちゃうよ。ね、お父さんはどこで待ってるの」

「ここにいて、あれを見てるよ」

昌明は郷土資料館の奥の薄暗い部屋を指さした。

「ああ、ジオラマかあ」慎一が納得したように頷いた。「お父さんはあれが好きだねえ」

「池のほうに行くんじゃないよ」

駆け出して行く二人の子供の後ろ姿に声をかけた後、昌明は郷土資料館の展示物を見て回った。

資料館といっても、この近辺で発掘された土器や鏃《やじり》、人骨などの展示品が並べてあるだけだ。昌明が子供の頃からほとんど変わっていない。変色し、うっすらと埃さえ被《かぶ》っている。説明書きが白いボードに替わったのもつい最近のことで、それまでは黄ばんだ模造紙にマジックインキで書いてあった。

昌明はあらかじめ決められた儀式のように、よく見知っている展示物をひととおり見た。奥の部屋に向かう。中に観光客らしい数人の見学者がいたが、「何だ、子供だましだねえ」という言葉を残してさっさと出て行った。確かに子供だましだ、と昌明は思う。

そこにあるのは、先土器時代、縄文時代、弥生時代、古墳時代などと大まかに区分されたジオラマだった。奥行きが一メートル、横幅一・五メートル程のガラスの箱に、各時代の生活ぶりの模型が入っている。紙粘土と紙と布でできた稚拙な代物だったが、なぜか昌明はそれを見るのが好きだった。

特に好きなのは、先土器時代だった。

夕焼けが山並みを紫色に染め上げている背景に、先土器時代の家族の様子が人形で表されているのだ。遠くには、富士山に似た山がぽつんと見える。噴火しているらしく、白い煙がまだたなびいている。原始の黄昏時《たそがれどき》、男が一人、ちょうど狩りから帰って来たところだ。

男は獣皮でできた簡便な服を着て髭《ひげ》を生やし、槍の先に獲物の兎《うさぎ》を数匹ぶら下げている。男が片手を上げているのは、迎えに出た三人の子供たちに獲物があることを報《しら》せているのだろう。男は兎を獲ることができて、さぞかしほっとしているに違いない。無事に家に帰り着いた嬉しさに溢《あふ》れているようだ。子供たちはいずれも腰巻きのような獣皮を身につけ、男の周りを跳ね回っている。

住居らしい洞窟の前に焚《た》き火がある。白い髪の女が貝を焼きながら、赤い布でできた炎を見つめている。もう一人、男の妻らしき女が洞窟の脇に生えている木から実を摘んで籠《かご》に入れているところだ。妻は振り向いて、男に笑いかけている。

昌明は狩りから帰った男の顔を凝視《ぎょうし》した。色の褪せたプラスチックの人形。髭面だが、この男は案外、若いのではないかと考える。二十七歳くらいという仮定はどうだろうか。自分と十歳違う。すると、妻のほうも子供を三人産んでいても、まだ二十五歳くらいかもしれない。二人とも、自分たち夫婦より遥《はる》かに若いのに、しっかり生活している。

昌明は、何十回となく眺めたはずのジオラマを飽かずに見つめている。年代の考証も、生活の再現考証も、おそらくはいい加減なイメージで造られた代物。絵の具で描かれた背景は色褪《いろあ》せ、紙粘土がところどころ白い下地を晒《さら》している古ぼけた代物。観光客の言う通り、小学生の発表展示物でもこれほど稚拙ではないだろう。

しかし、見る度、ここに描かれた生活は昌明に大きな感動を与えるのだった。

自分も同じように暮らしている。外に出て行って金を得、妻子を養う。原始から男はこうしてきたのだ。男の労苦と誇らしさと安堵《あんど》。よくわかる。先週の日曜日、自分はマンションの窓から空を眺めて小さな幸せを感じながら、妻を愛しいと思っていた。あの感覚は、このジオラマの中の男と同じものではないだろうか。

この日は少し違っていた。昌明は知らず知らず、あの赤い髪の女はどこにいるのだろうとジオラマの中を探していたのだった。赤い髪の女がいる場所はどこにもなかった。もしかすると、この一家の住まいの裏にもう一つ小さな洞窟があって、女はそこに住んでいるのかもしれない、と昌明は想像した。しかし、その女のために誰も狩りなんかしない。

この時代、ああいう女は死ぬしかなかったのだ。

昌明は、たった一人で生きている女を哀れに思った。男を頼らない女は死ぬしかない。そう考えると、少し溜飲《りゅういん》が下がる思いがするのだった。

翌日の月曜、昌明は定刻に出勤した。

N銀の正面玄関は百年前の重厚な石造りのため、市の中心のオフィス街でもひときわ目立つ。内部は使い勝手のいいように近代的な建築に変わっていたが、ファサードは企業の顔だというオーナーの一存で、それだけ残してあるのだった。昌明は、威厳ある正面玄関が内心気に入っていた。ここに通勤すること自体が誇らしくさえある。出社する度に、本店勤務で本当によかったと思う。

角が磨《す》り減った大理石の階段を数段上ったところで、後ろから声を掛けられた。

「溝口さん、おはようございます」

振り向くと、本田が立っていた。

「あれ、本田さん。いつから本店勤務になったの？」

本田は支店長代理ということで、昨年から郡部に単身赴任していたのだ。

「いや、今朝は支店長会議ですから。支店長が所用なので、私が代わりに」

本田は石段を駆け登り、昌明の横に並んだ。本田はいつも地味なダークスーツをきちんと着て紺系のタイを締め、隙がない代わりに個性もない銀行員という印象がある。

「そうか。月曜だからね」

「お久しぶりですねえ」本田は如才なく笑った。「奥さん、お元気ですか」

「ええ、お陰様で」

二人は並んで歩き、エレベーターに乗り込んだ。本田は七三に分けた髪をポマードできっちりと撫でつけている。狭いエレベーターの中で、整髪料が強く臭った。こいつは自分のポマードの臭いに気づかないのだろうか。昌明は本田の後ろ姿を眺めながら、ゆっくりエレベーターを出た。

「どうですか、マンション暮らしは」

本田が顧客に対するように、にこにこして振り向いた。

「快適ですよ。ただね、地面の様子がわからないので靴選びに困るけど」

「ははあ、そうですよね。お宅、九階でしたっけ」

「ええ、眺めはすごくいいんですけどね」

「ほう。じゃ、阿房山《あぼうざん》なんかも見える？」

阿房山というのは、この辺りで一番姿がいい山だ。昌明は多少悔しさを籠《こ》めて答える。

「いや、あっちは逆側でね」

「そうですか。いや、うちの奴が何度かお邪魔しているようで羨ましがってますよ」

「本田さんも是非どうぞ。楽しみに待ってるのになかなか来てくれないから」

「そのうち。こっちは溝口さんと違ってドサ回りですから。でもね、今、大変なのご存じでしょう」

本田は声を潜めた。昌明は訳が分からず、怪訝《けげん》な顔をする。

「何でしょう」

本田は、ちょっと、と昌明を廊下の隅に連れて行った。

「溝口さんだから言いますけど、これ誰にも言わないでくださいね」

「はあ」

「実は、ここやばいっていう情報が東京から入ったんですよ」

「やばい？」

昌明は渉外課長代理をしている。融資などを担当しているのだが、N銀が危ないという話は誰の口の端《は》にも上ったことがないし、聞いたこともない。何を血迷ったことを、と昌明は腹立たしく思った。万が一、そんな無責任な噂が外部に漏れたら、取り付け騒ぎになりかねない。

「そうなんですよ。ここもご多分にもれずバブルの後遺症で、不良債権の重荷があるでしょう。あと、例のゴルフ場融資の問題もあるし」

昌明は首を捻《ひね》った。N市の場合は大きな地場産業がないために、N銀は逆に投資を分散させた健全経営を余儀なくされているところがある。多額の不良債権があるのも、ゴルフ場に手を出して火傷《やけど》したのも事実だが、それほど深刻な経営危機ではないと昌明は考えていた。

「大丈夫ですよ。今は確かに業績不振だけど」

「だけどね、うちの頭取ワンマンでしょう。周りもイエスマンしかいないし。それが諸悪の根元だという噂でね」

「ワンマン経営のせいにすりゃ何でもいいんですかね」

「まあ、人間も企業も、痛い目に遭わなきゃなかなか大人にならないですからね」

「また東京からの情報ですか」

昌明は、評論家めいた口調の本田に反感を持ち、嫌みを言った。本田は、一瞬、戸惑ったような顔をしたが、すぐに手を挙げて謝った。

「すみません、余計なこと言って。だけど、突然やってくるってことも無い訳じゃないですから、溝口さんも気をつけて。だって、ローン組んだばっかりでしょう」

「そりゃ、どうも。ご親切に」

気をつけろって言ったって、そんな話はありっこない。昌明は憮然とした面持ちで渉外課の部屋に入って行った。そこにはいつもと変わらない仕事があった。


昌明が赤い髪の女と遭遇したのは、その日の夜のことだった。

週明けの月曜だというのに残業になり、くたびれて帰って来た。夕食も摂《と》りはぐれ、家に帰っても何もないかもしれない、と空っぽな気分で閉まりかけのエレベーターに飛び乗った。すると、赤い髪の女が先に乗っていたのだ。女はつるつるしたエナメルの赤いコートを着て、先が細く尖《とが》った青い靴を履いていた。

「どうも」

昌明は予想外の時に、女が目の前にいたので面食らった。会ったら何か言ってやろうと意気込んでいたのに、実際に本物を前にすると肝心の言葉が出てこない。女は目礼したように見えた。いや、ただ目を伏せただけだったかもしれない。昌明は「閉」と「9」のボタンを同時に押した。女の目がそこに留まるのを感じ、思い切って口を開いた。

「あの、私、九階の溝口ですが」

「知ってます」

女はぴしゃっと返した。その声音の低さと口調の鋭さに昌明は驚いた。真っ赤な髪、派手な服装、それらから予想していたのとまったく違う事務的な感触だった。もっと軽躁なイメージを勝手に持っていた。

「うるさかったようですみません」

女は黙って頷き、青く塗った両の爪を検分し始めた。エレベーターが上がって行くにつれ、女が自分を無視しているのを意識するにつれ、昌明は次第に癪《しゃく》に障《さわ》ってきた。

「あのですね。こんなことを言ったら失礼かもしれませんけど、例の話は本当なんでしょうか。うちは気をつけて暮らしているつもりなんですよ。だから、生活音がどの程度聞こえるのか、ひじょうに気になるんですがね」

「じゃ、来てみます？」

女が素っ気なく言った。

「え？」昌明は聞き返した。

「いろいろ聞こえますから。来てみます？」

女は意味ありげに蜜柑色の唇を歪《ゆが》めて微笑んだ。昌明はこの間の晩、下の女に聞こえろとばかりに妻を責めたことを思い出し、当てこすりかと内心慌《あわ》てた。そして、まさかと思い直し、自分の気の小ささに嫌気が差した。女は昌明の動揺を窺《うかが》っている。その表情に痛快という文字が浮かんでいるような気がした。

「たとえば？」

「だから、自分で確かめたらいいじゃない」

八階に着いた。ドアがするする開くと同時に女が先に出た。赤い塊にそそのかされたように、昌明の足が勝手に動いた。女は昌明がついてくるのが当然といった風に、振り返りもしない。昌明は自分の住居のある階とそっくり同じ八階の廊下を、足音を忍ばせて歩いていた。

「どうぞ」

女が鍵を開けた。途端に、昌明は自分でも驚愕《おどろ》いていた。分別ある男が、どうして一人暮らしの女の部屋にのこのことついてきたのか。自分の家の生活音がどう聞こえるかという当初の興味が、女が何者でどんな暮らしをしているのか知りたいという好奇心にすり変わっていることに気づいた。自分の家とまったく同じ間取りの部屋で、この女がどう過ごしているのか見たくてたまらない。

においからして違っていた。胞子が空中を飛んでいるような黴臭《かびくさ》さと、動物が棲息している穴の生温かいにおい。昌明は薄暗い部屋の奥を窺った。女の棲み家を覗くことに秘密めいた喜びを感じた。まず目に入ったのは、三和土《たたき》を覆うたくさんの靴だった。男の昌明が見たこともない様々な形と色の靴がタイルの上を覆っていた。横に崩れ折れたブーツだけで黒、茶、白と三足はあり、他にもハイヒール、ローヒール、スニーカー。数十人がパーティでも始めているみたいな猥雑さだった。


足の踏み場もないために、思わずよろめいて靴箱の上に手を突くと、熱帯魚の大きな水槽がすぐ顔の横にあった。水中の青白い蛍光灯に照らされて、ぬめっとした泥色の鯰《なまず》みたいな淡水魚が昌明の目の前を横切る。昌明はのけぞった。水槽の横には観葉植物の鉢がぎっしり並び、生い茂った蔦《つた》が這って靴箱に垂れ下がっているものもあれば、すでに枯れている鉢もある。整頓好きの昌明は、赤いハイヒールの中に落ちた枯れ葉を無意識に拾って靴箱の上に載せた。


「誰かいらしてるんですかね」

「いいえ。誰も来てないわよ」

「すごい靴ですね」

「お宅は見たわよ、こないだ」女は狭いスペースに青い靴を脱ぎ捨てて振り向いた。「靴箱の上にリトグラフっていうの、あれがあった。薔薇の造花が飾ってあって靴は全然出てなかったわね。きれいにしてる」

非難している口振りだった。美津子はインテリア雑誌に出ているような、シンプルな玄関を好んでいた。

「お邪魔します」

昌明は靴を脱ごうとしたが、その場所を確保するのさえおぼつかない有様だった。ようやくドア付近に場所を見つけ、黒い靴を重ねて置いた。

リビングは昌明の家同様、十四畳はあるというのに、やはり所狭しと物が溢れていた。ピンクとブルーに塗り分けられた飾り棚に膨大な数の香水瓶のコレクション。針金ハンガーに掛けられた色鮮やかな服が壁面を飾り、金糸で刺繡《ししゅう》した振袖まである。昌明は目に入って来る色が整理しきれず、くらくらした。あとずさったら、床に転がっている黄色い洋梨を踏みそうになり、慌てて拾い上げる。すると驚いたことに、プラスチックでできた飾り物だった。ほかにも葡萄《ぶどう》やマンゴ、リンゴなどが床に置いてあった。ピンクのカバーがかかった大きなソファには、麻奈が好きそうな動物の縫いぐるみが二列にぎっしり並んでいた。

女の部屋は、夥《おびただ》しい物でできた巨大なジャングルだった。昌明は物の洪水に押し流されそうになり、立ちすくんだ。

「失礼ですが、何をしていらっしゃるんですか」

女はコートを脱ぎながら昌明のほうを見た。コートの下は靴と同じ色の、てろんとした化学繊維のミニドレスだった。赤い髪とその服はよく似合っている。

「古着屋よ。最近はこういう雑貨も始めたの。途端にお店が三軒に増えたわ」女は店のある街の名前をぶっきらぼうに告げた。「景気いいわよ」

「そうでしょうね」

だから、こんな若い身空でマンションも買えるのかと昌明は驚嘆した。

「びっくりしたでしょ。ここは倉庫みたいなもんね」

「なるほど」昌明は雑多な品物が散らばる部屋を再度眺め回した。「道理で」

「ほら」と、女が天井を指さした。「聞こえるわよ」

昌明は首を傾《かし》げ、耳を澄ませた。ぱたぱたと美津子がスリッパで歩き回る音がした。その音はキッチンのほうに向かい、冷蔵庫を閉める微《かす》かな音まで聞こえる。

「冷蔵庫から何か取り出して飲みながらテレビ見てるのよ、きっと。お風呂はまだ入っていないわよ。お風呂の音も聞こえるからわかるわよ」女は腕組みをして天井を睨みつけたまま、独り言のように言った。「これだから他人の家の生活まで知れちゃうのよね」

「すみません。これから気をつけますから」

昌明は謝罪しながらも不思議な気持ちになっていた。この部屋の真上で、何も知らない妻が歩き回っている。夫である自分は真下でそれを聞きながら、妻の動向を推理する女と一緒にいるのだ。

「あなたの足音もすぐわかる」

女は昌明の目を見据えながら、タバコをくわえた。視線はそのままでからだを捻り、床のバッグからライターを取り出す。その時、ドレスの背中が大きく開いているのに気付いた。白い皮膚に覆われた華奢な肩胛骨が動いて、また元に戻る。昌明は、わざと見せているのかと思ってうろたえた。

「わかりますか」

女は昌明の動揺には気付かない様子で、縫いぐるみをあちこちによけながらソファにめりこむように座った。

「重い音だからすぐわかるわよ。あ、あの人帰って来たって。玄関先でいったん立ち止まってリビングに入ってくわ。そして、こんな風にソファに座るんでしょ。しばらくしてからお風呂よ。違う？」

女はそう言って動作を真似して座り直した。

昌明は何も言えずに女がタバコをくゆらすところを見つめていた。赤い髪、青白い顔、蜜柑色の唇に白い背中、青い服、青い爪。女を彩る色に、女の口から出る事実に、昌明は現実感を失いそうになっている。妻とあまりにも違う種類の女が自分の家の真下に住んでいて、自分の足音を聞き分けているとは。

マンションの理事会にかけるなどと息巻いていたことも忘れ、昌明は幻惑されたように女を見つめ続けていた。裸にするとどうなっているのだろう。胸は小さいが脚は案外太そうだ。化粧を取るとどんな顔が現れるんだ。赤い髪をしているくせに恥毛は黒いのか。そこまで考えると欲情しそうになった。昌明は慌てて言った。

「これから気をつけますから。よくわかりました」

昌明は玄関に戻り、靴を履き、女の家から飛び出した。エレベーターは使わずに、階段を駆け登った。マンションの階段を使う。それも初めての経験だった。

「ただいま」

玄関に一歩入ると、この空間と女の部屋は、床一枚で繋《つな》がっているのだと、また妙な気分になった。女の部屋は異次元異世界だった。そこに住む女も謎の異生物だった。女が、あのジャングルで腕組みをして天井を睨みながら、自分の足音を聞き分けているのかと思うと、ぞくぞくするような喜びを感じる。

「お帰りなさい」

シャワーキャップを被った美津子が、眠そうな顔で出てきた。いつもの水色のトレーナーにタータンチェックのパンツ。決して裏切らない安定した姿。急に、美津子が色褪せて見えた。

「残業だった」

「らしいわね。先にお風呂入る？」

「いいよ、先に入れよ」

「悪いわね」

美津子は欠伸《あくび》をしながら風呂場に消えた。昌明は下の生物に聞こえるように、わざと足音を立てて廊下を歩いた。

N銀が倒産したのは、翌週月曜のことだった。

原因は本田が囁いた通り、多額の不良債権の重荷と、ゴルフ場を含めたリゾート開発に巨額の融資をしたことで、取り返しのつかない赤字を抱え、倒産の憂き目を見たのだった。オーナー頭取の乱脈経営も、大蔵省の見せしめ的処分を引き起こしたらしい。以前は小馬鹿にしていた弱小のN信託銀行に業務が引き継がれることに急遽《きゅうきょ》決まったが、ほとんどの行員は行き場を失うのだという。

昌明を含め、行員のほとんどは寝耳に水で仰天した。まさかと思ったことが現実になったことがどうしても首肯できず、昌明は部長を問い詰めた。社宅で隣同士だったことから、比較的対等な口を利ける相手だった。

「いったい、いつ頃からわかってたんですか」

「俺も先週会議で聞かされたんだよ。信じてくれ」

「先週のいつですかね」

「月曜だ」部長は白髪《しらが》頭を抱えている。「子供が大学に入ったばかりなんだぜ。俺の歳じゃどこも拾ってくれないよ」

先週の月曜。本田が支店長会議で本店を訪れた時ではないか。本田は真実を伝えてくれたのに、自分は端《はな》から信じようともしなかった。昌明は自分の愚かさが身に沁《し》みた。この世にあり得ないことなどないのだ。半年後には失職するなど、誰が想像しただろう。

たとえどこかに就職できたとしても、今の収入が望めないのだけは確かだった。昌明には銀行の業務以外、何の能力もない。マンションのローンや、これからかかる子供の教育費を思い、昌明は茫然とした。そのうち、憂う暇もないほど、残務整理に追われる日々がやって来るだろう。そして、解放されれば、失業という思ってもみなかった境遇に陥るのだ。

その夜、昌明はあてもなく盛り場をうろついた。飲みたい気分ではなかった。家に帰って美津子に倒産の事実を話すのが嫌だったのだ。明日の朝刊には発表されるのだから知られるのは時間の問題なのだが、美津子の動揺を想像すると耐えられない気持ちのほうが強い。

昌明は一人で蕎麦《そば》屋に入り、ビールを飲んだ。パチンコ屋に寄ったものの、こうしている間にも、同僚は就職活動に精を出しているかもしれないと疑心暗鬼になり、居ても立ってもいられなくなった。

遣り場のない思いを抱え、結局、昌明はマンションに帰って来た。まだ九時過ぎだから美津子は起きている。昌明はエレベーターに乗り、習慣となった「9」のボタンをいったん押したが、動き出した途端に「8」という数字に触れていた。着くまでの間、何となく押してみたかったからさ、と自分に言い訳をする。

エレベーターはするすると八階に着き、ドアが開いた。昌明はドアが閉まる寸前にエレベーターから飛び出した。八一一号室の前に立つ。郵便受けと同じく、IWAKIRIと表札に書いてあるのに初めて気付く。しばらく躊躇《ためら》った後、インターホンを押した。

「はい、どなた」女の少し掠《かす》れた低い声がした。

「溝口です」

部屋のドアが開き、黴臭いような動物臭いような有機的なにおいとともに、女が顔を出した。

部屋着なのか、オレンジとブルーの太い横縞の、足首まである綿のワンピースを着ている。長いTシャツのようなぞろりとした珍妙な服だった。風呂上がりらしく、化粧は落としていて眉がなかったが、逆に若く見える。

「どうしたの」

女は警戒するように昌明の全身を見た。ステンカラーのコートにチャコールグレイのスーツ。黒地に小さな模様のタイ。どう見てもサラリーマン、それも無彩色のつまらない服を着た昌明を。

昌明は声を嗄《か》らしながら言った。

「ちょっとお邪魔してもいいですか」

「どうして」

「駄目ならいいです」

昌明ははっと我に返った。いったい自分は何をしようとしていたのだろう。こんなことが妻にばれたら大変だ、銀行に知られたらどうする。いつもの臆病さが戻ってきた。しかし同時に、何がどう大変なんだろう、どうせ銀行は潰れたのだ、失業者の自分は妻に離婚されるかもしれないではないか。そう考えるとすべてが虚しくなり、そんなことに煩わされている自分を笑いたくなった。その瞬間、女が意外に強い力で昌明のコートの袖を摑んだ。

「いいよ、入って」

昌明は再び、色と形がごちゃ混ぜでひとつとして同じ物のない、洪水のような部屋の真ん中に立っていた。テレビがつけっぱなしで、洋画のビデオが途中で止まっている。

雪の積もった薄暗い街、巨大な石像に囲まれた道をバットマンカーが走っているところだった。昌明はその映画を息子と一緒に見たのを思い出した。「バットマン・リターンズ」。確か、ペンギンとキャットウーマンが出てくる。

「すみません、おくつろぎのところ」

「いいわよ。映画見てたの」

「バットマンでしょう」

「あたし、この映画大好きなの。百回くらい見た」

「面白いですよね」

昌明はお座なりに同意したが、女は真面目な顔で首を横に振った。

「ううん。悲しい」

「どこか悲しいところありましたっけ」

「セリーナが死んでから生き返って自分の部屋に戻ってくるじゃない。冷蔵庫から出した牛乳をこぼしながら飲んで、留守電聞くところで毎回泣くの」

そんなに悲しかったっけ。昌明はコートのポケットに片手を突っ込み、鞄を持ったまま静止した画像をぼんやり眺めた。この原色に満ちた部屋の中で、画像だけがモノクロームに近かった。

女はどこかに消えた。昌明はテレビの前で何もすることがなくなって困惑していた。耳を澄まして階上の物音を聞こうとしたが、キッチンのほうからガチャガチャという耳障りな音がして邪魔をした。女が冷凍庫から氷を出していると気が付いたのは、少し後だった。

「お酒飲む?」

「はい、いただきます」

「座ったら」

昌明はコートを脱いできちんと畳み、女が以前したように縫いぐるみを脇によけてピンクのカバーのかかったソファに腰掛けた。女が緑のプラスチックトレイに、大きなガラス鉢に入れた氷とウォッカとオレンジジュースを載せて来る。女はリモコンでテレビを消してから昌明の顔を見た。

「何かあったの」

「すみません。だらしない話ですけど、うちの銀行倒産したんですよ」

「どこの銀行?」

「N銀です」

「嘘!」女は驚いた。「あたし、融資申し込んだことあるけど断られたわ。偉そうなとこよね」

「すみません」

「本当なのかなあ」

女は細く吊り上がった目で昌明を睨んだ。

「これ、冗談じゃないんですよ」昌明は勝手にウォッカをグラスに注いで生《き》で飲んだ。まず喉《のど》が焼けて、次に食道が熱くなり、胃の腑に到達する頃には体がほのかに暖かくなっていた。「ああ、すごく旨く感じる」

女は昌明の様子をしばらく観察していたが、やがて声を上げて笑いだした。

「倒産したのは大変だけど、何かおかしいような気もする」

「おかしいですかね。どこが」

「何だろう。ごめん。わからない」

女は笑いながら、目尻の涙を拭いた。女の部屋を訪ねたことがばれたら困ると焦り、それから自分の狼狽《ろうばい》こそが無意味になったと自嘲したさっきの気分を昌明は思い出した。女がおかしいと笑っているのは、それに近いものかとも思う。急に解き放たれた気分になって、昌明は首を傾げた。

「おかしいなあ、確かに。俺、こんなに慌ててるものなあ」

「そうは見えないけど」

「いや、慌ててるっていうか、茫然自失っていうか、何をどうしたらいいのかわからないっていうか」

昌明はつぶやいた。女は黙って自分のグラスに氷とオレンジジュースを入れ、ウォッカをほんの少し垂らした。人指し指でぐるぐると回している。昌明は頭の直径が四十センチはあるキティちゃんの大きな縫いぐるみを胸に抱き、またウォッカを呷《あお》った。

「俺、ここで何してるんだろう。早く帰って女房に報告しなくちゃならないのに」

「大丈夫よ。あなたの奥さん、テレビ見てるもん。そんな話まだ聞きたくないんじゃない」女は天井を指さした。「子供は一人は寝たみたいよ。もう一人の子はさっきお風呂から上がったところ」

昌明は頷いた。あの妙な感じ、真上に妻がいて家族が住んでいて、真下に自分は女と一緒にいる。そして、そのことを妻は知らない、という妖《あや》しい感情が蘇った。昌明は無意識に天井を見上げた。そこは今、しんと静まり返っている。亭主がこんなに衝撃を受けているのに、美津子は何をしているんだろうと思う。

「あたしね、岩切千絵っていうのよ。あたしの名前も知らないでしょう」

膝を抱えて床に座った女は自分の名を告げた。そして、長いTシャツのようなドレスを爪先まで被せた。小さな膝小僧がくっきりと浮かび上がった。女の名前などどうでもよかった。ただ、女の赤い髪に触りたくてたまらなかった。手を伸ばしかけると、千絵が振り向いて昌明のほうを不思議そうに見上げた。

「どうしたの」

昌明は、おかっぱにした千絵の真っ赤な髪にとうとう触れた。コンビニではヘルメットのように硬く見えたのに、実際に触れると細くしなやかな髪だった。

「すみません、触りたくってたまらなかった」

「何で」

怒ったように千絵は言ったが、目は笑っていた。

「きれいな色だから」

「嘘ばっか。どうせ、変な女とか思って馬鹿にしてたんでしょう。このマンションの人、皆そうよ。こんなのどうってことないじゃない。うじゃうじゃいるじゃない」

「どうってことない、ですかね」

「銀行員って、すぐ見かけで判断するのね」

千絵の言葉が意外で、昌明は驚いた。しかし、千絵の第一声を聞いた時に、意外だと思った違和感を思い出す。あの違和感の正体がそういうことなのか。

「そうかなあ。あなたは判断しないですか」

「判断って一番難しいから、そういうことには慎重よ」

千絵は考え深そうに鋭い目を昌明に当てた。老成した口調に昌明はたじろぐ。自分の信じ込んでいたことはすべて、この夜、がらがらと音を立てて崩れ落ちる。

「こっち座ってくれないかなあ」

千絵の手を引いてソファに座らせた。千絵は素直に腰掛け、昌明の顔を不思議そうに眺めた。昌明はしばらく千絵の目だけを見つめていた。それから、白いカーペットの上に膝をついて、千絵の服の裾を足首からまくり上げた。真っ白な脚が現れ、その付け根に黒い毛が密生しているのが見えた。千絵の髪を見上げる。赤い髪に黒い恥毛。昌明は服をはぎ取った。長いTシャツ型のドレスの下に、千絵は何もつけていない。万歳の形をして、幼い子供のようにされるがままになっている。

全裸になった千絵はやや戸惑いながら昌明を見上げているが、どこも隠そうとしなかった。ピンクのソファに縫いぐるみと一緒に腰掛けていると、赤い髪をした白い膚《はだ》の人形のようにも見える。美津子と逆で乳房は小さく、乳首はころんと大きめだった。昌明はそれをくわえた時の、歯に当たる感触までを想像した。

「あなたも裸になんなさいよ」

昌明は命じられるままにもどかしくタイを取り、シャツのボタンを外し、ズボンを下ろした。すでに勃起しているため、トランクスが脱ぎにくい。昌明は千絵の膝小僧を左右に割った。

「脚開いて」

躊躇《ためら》いもなく、千絵はソファの上に両脚を載せ、少し開いてみせた。艶やかな恥毛の下に潜む性器が赤みを帯びているのが見えた。昌明は両手でさらに脚を開き、その部分を舌先で舐《な》め始めた。千絵はテディベアの縫いぐるみを胸に抱き締め、掠《かす》れ声を出した。

「やだ、感じちゃうよ」

「感じてくれよ」

「いっちゃうよ」

「いいよ」

昌明の舌の動きに合わせて千絵はテディベアを胸に擦《こす》り付けている。まるで、乳首を縫いぐるみに吸わせているみたいだった。昌明はテディベアを取り上げて乳首をくわえた。想像通り、こりっと歯ごたえがあった。千絵が初めて、掠れ声ではない悲鳴のような喘《あえ》ぎ声を上げた。昌明はそのまま中腰になって挿入し、千絵の腰を抱きながら激しく動いた。

「やだ、あたしたちキスもしてないのにいっちゃったわね」

終わった後、ソファに横に倒れた千絵が鼻声でつぶやく。昌明は千絵のぽってりした唇に、やっとキスをした。そうだ、俺は初めて見た時、この唇にこうしたかったのだと昌明は思った。満足そうに千絵が舌を差し入れてきた。

千絵の部屋を出ると、昌明は、自分の家とそっくり同じで、しかし趣がどこか違うドアを振り返って眺めた。階下の女に手を出すなんて、今までの自分には考えられないことをしてしまった。一線を越える、という言葉があるが、まさしく今夜がそうだったのだ。しかし、後悔はなかった。それより、自分がとうとう千絵と寝たという満足感があまりに大きいことに昌明は戦《おのの》いている。それは日が経《た》てば空気が抜けるようにしぼみ、欲望がまた新たな満足を求めるだろう。永久に膨らませ続けなければならない風船。これまで浮気したことは数回あったものの、今度ばかりは深入りしそうな予感がする。失職したというのに、この喜びは何だろう。昌明は心の混乱を整理できないまま、自宅のインターホンを押した。

美津子は倒産と聞いて、驚愕した。

「どうするの、ローン。あたし働きに行こうか」

そればっかり繰り返している。

「それはまだ早いよ。しばらく大丈夫だから職を探してみる」

「ちょっと待ってよ。あなた、大丈夫って何が大丈夫なのよ」

美津子は涙を浮かべて、昌明から視線を外さなかった。責める目つきだ、と昌明は困惑した。

「半年間は給料が出るし、その後も失業保険がある」

「だって、ローンは組んだばかりじゃない。あと二十四年もあるのよ！」

「わかってるよ」

昌明は小声になった。たった今抱いてきた千絵が、興味津々で耳を澄ませているだろうと気にしたのだ。話し声までは聞こえないらしいが、口論をしているとわかればみっともないという気持ちがある。

「どうするの」

「何とかするから」

美津子は仏頂面になって俯《うつむ》いた。

「じゃ、父にも相談してみるわ」

美津子の父親は田舎で製材所を経営していた。銀行員の亭主をそこの経理にでもしようという気か。昌明はかっとし、それからすぐに反省した。いずれ、どんな仕事でも厭《いと》わないでやらなければならなくなるかもしれない。N銀出身だと威張ること自体がおかしいのだ。

「頼むよ」

言い捨てて、昌明は風呂場に向かった。シャワーを浴びながら、この音は俺の音だ、聞き分けてくれ、と千絵に向かって念じている。千絵との性交の痕跡《こんせき》をいやいや洗い流している音だと。

深更、美津子の方から昌明のベッドに入って来た。昌明は眠れずに寝返りを打っていたから、まだ起きていると思ったのだろう。美津子は背後から昌明にしがみついた。

「さっき、ごめんなさい」

「いいよ」

「あなたが一番辛いのにね。あんなこと言っちゃってほんとにごめんね。これから二人で頑張ろうよ」

昌明は体の向きを変えて美津子を抱き寄せた。だが、抱く気はしなかった。今夜の昌明は、人形のようだった千絵と、その白い脚のことばかり考えているのだった。


残務整理が終わり、いよいよ本格的な再就職先探しが始まった。

しかし、人口五十万足らずの地方都市に、そう幾つもいい口が転がっている訳はない。五百人近い失業者が一気に増えたのだから、有利な就職先は争奪戦に近かった。昌明は出かける先で、必ずといっていいくらい同じ言葉を聞いた。

「お宅の行員さんは、皆さんいらっしゃいましたよ」

すでに出遅れているのだ。昌明は焦った。失業保険が切れるまでに次の働き口を探さなくてはならない。だが一方で、失業という死ぬほど怖れていた事態が、思いもしなかった喜びを隠していたことにも気がついた。それは自由という名の喜びだった。昌明はそれに耽溺《たんでき》しつつあった。

就職活動だと美津子に告げて、朝家を出ると、昌明はすぐさまエレベーターに乗り込み、「8」と「1」のボタンを押す。そうすれば、千絵の部屋に寄っていても、エレベーターは勝手に一階まで降りて行くから、万が一、美津子が追いかけてきても何とか言い繕える。階段を使うことも考えたが、近所で行き来している住人が時々使っているので避けたほうが無難だった。

八階でこっそり降りた昌明は、隣近所の動きに目を配りながら、千絵の部屋のインターホンを押す。

「おはよう」

昼過ぎに店に出ていく千絵が、寝ぼけ眼《まなこ》でドアを開けてくれる。昌明は急いで中に滑り込み、三和土いっぱいに出ている千絵の靴を足先でよけ、寝ぼけた顔が可愛いと言ってすぐさま千絵を抱き締める。千絵はくすぐったそうに笑ってのけぞり、もつれた赤い髪を振り乱す。昌明は千絵を抱き締めた後、きまって階上の音に耳を澄ませた。

美津子が鼻歌を歌いながらベランダを掃き掃除している。しゅっしゅっと箒《ほうき》を使って、注意深く塵《ちり》とりに掃き寄せる丁寧な音。

「あなたの奥さん、偉いわね。あたしベランダなんか掃除したことないわ」

千絵の部屋のベランダは、ガーデニングと称して、ハーブの鉢や雑草にしか見えない草花のプランターでいっぱいだった。

「しなくていい」

昌明は、美津子の掃き掃除の音が聞こえるような窓際で、千絵を裸に剝き、体のあちこちにキスを始める。すぐ上で、妻が知らずにいることがこんなに自分を興奮させるとは。昌明はこれまで生きてきた三十七年間で初めて、女という生き物に溺れていた。千絵を這《は》い蹲《つくば》らせて、背後から亀裂を舐める。後ろから貫き、声を出させる。その声がベランダにいる妻に聞こえればいいと思う瞬間もある。

もしかすると昌明は、千絵だけではなく、何も知らずに上で暮らす美津子という存在にも溺れていたのかもしれなかった。妻が上にいなければ、そしてこの部屋に自宅の生活音が届かなければ、これほど千絵に没頭したかどうかはわからない。

昨夜も昌明は美津子を抱いたのだった。千絵にしたように脚を開かせて居間のソファで抱いた。最初、美津子は恥ずかしがっていたが、次第に乱れていった。

「声を出せ」

最初に千絵の存在を意識した夜のように、美津子に命じた。美津子はそれをゲームだと思ったらしい。

「下に聞こえるわよ」

「聞かせてやればいい」

美津子は最近頻繁になったセックスや、昌明の変化が、失業によるものだと信じている。昌明は美津子が可哀相《かわいそう》でもあり、必死に支えようとする姿が可愛くもあった。千絵の顔や体や心に強く惹かれていくのと同様、美津子の新しい顔や体や心をも見たいのかもしれない。

「今のあたしの声、奥さんに聞こえたかもしれないわよ」

千絵は窓から射し込む六月の朝陽を背中に浴び、荒い息の下で言った。

「いいよ」

「本当？」

千絵があの細く鋭い目で振り返る。

「うん。うちのは聞こえないか？」

「ううん」

千絵はすぐさま否定して目を伏せる。昌明は千絵の表情を読もうとするが、千絵はそれを許さない。心の中を覗きたいもどかしさと、自分が酷《ひど》いことをしているのかという切なさを感じながら、昌明は千絵にタバコをくわえさせ、自身も一服する。そして、これからどう過ごそうかぼんやり思うのだった。

「行って来るわね」

シャワーを浴びた千絵が出勤するところだ。今日の服装は、裾の開いた緑のパンツに青と緑の渦巻模様のシャツだ。どこで買ったのか、麦藁《むぎわら》で編んだ、どら焼きのような形のバッグを持っている。前は紅花の芯の色だった赤い髪は紫を差し、熟れた苺《いちご》の色に近くなった。髪に合わせて化粧を変えていることにしばらく気付かなかった昌明は、千絵が化粧を終えた顔をいつも新鮮な気持ちで眺める。今日は濃いラズベリー色の口紅をつけていた。そうすると血色の悪い不健康な感じに見えて、色っぽかった。

「あたしきれい？」

「きれいだし、可愛い」

こうして千絵は部屋を出ていく。それから昌明は千絵の匂いのするベッドに横たわり、天井を見上げる。妻がぱたぱたスリッパで歩き回る音がする。窓越しに微かに聞こえる電話のベル。きっと本田の妻からだろう。それなら長電話になるはずだ。一時間は喋っているに違いない。腕時計を覗くと、昼過ぎだ。そろそろ麻奈の幼稚園バスを迎えに家を出る頃だから、電話はいったん切らなくてはならないだろう。案の定、またスリッパの音がした。妻は口紅を塗り、下に降りるところだ。

昌明は瞼《まぶた》を閉じた。朝から千絵を抱いたので急に眠気が襲ってきている。千絵の甘酸っぱい匂いの染み込んだアッパーシーツを肩まで引き寄せて眠り込む。目を覚ますと、すでに午後二時近い。腹が減ったので、冷蔵庫の位置まで自宅と同じキッチンに行く。キッチンも千絵好みのチープな雑貨でいっぱいだ。食器棚からヒマワリがプリントされた昔風のグラスを選び、冷蔵庫からビールを取り出した。湯を沸かし、カップラーメンを作る。

千絵の持っている洋画のビデオの中から、「バットマン・リターンズ」を出してソファに横になって眺めた。千絵が「必ず泣く」と言っていたシーンになった。貧乏で冴《さ》えない秘書のセリーナが突き落とされて死に、猫たちの力で蘇って家に戻ってくる。パックごとミルクをごくごく飲むセリーナ。喉首に垂れるミルク。非情な留守番電話。見ているうちに、昌明の目に涙がこみ上げてきた。今、ようやく千絵の気持ちが痛いほどわかるのだった。千絵は一度死んでキャットウーマンになった女なのだ。

ジオラマ。自分はあれを見ながら、千絵のために狩りをする男などいない、と馬鹿にした。狩りをする男がいなければ一人で生きる女は死ぬしかない、と。だが、今の自分は狩りもしないで、一人で生きる女にこんなにも惹かれてしまっている。なのに、自分を信じて狩りの成果をじっと待つ妻も好きなのだ。俺はいったい、どうしたらいいのだろう。

天井から、子供のものらしい体重の軽い足音が聞こえてきた。元気に廊下を走っている。慎一が帰ってきたに違いない。昌明はしばらく上を見上げていた。涙が止まらなかった。昌明はティッシュで涙を拭《ぬぐ》い、鼻をかんだ。その途端、玄関の鍵が開く音がして、千絵が帰って来た。

「ただいま。何してたの」

「あの映画見て泣いてた」

千絵は驚き、ビデオを見遣った。それから、どら焼き型のバッグをソファの上に投げて溜息をついた。

「ほんとに出てくる人たち、皆が悲しい映画でしょ」

「うん、悲しいよ」

昌明は千絵を強く抱き締めて、自分のものよりはるかに細い骨が軋む感触を愛おしく思った。

「痛いよ。離して」

千絵は腕の籠の中から飛び立つように行ってしまう。千絵がすでに三十三歳だと、つい最近知ったばかりだった。物欲も性欲も食欲も、あらゆる欲望が過剰で、しかもそれに素直な、まるで子供みたいな女。そのくせ商売上手。きっと仕事の時は、最初にエレベーターで昌明に対したような低い声で話しているのだろう。知れば知るほど好きになる女。昌明は、千絵のラズベリー色の唇をまじまじと見つめる。

「何よ」それが千絵の口癖だった。

「どうして千絵に夢中なのかなと思って」

「あなたが骨の髄まで銀行員だからよ」

千絵はそう言って笑った。本能的に千絵はあらゆることを見抜くのだ。確かにそうかもしれないと昌明は思った。千絵は昌明の知る世界の住人ではない。昌明の安心する世界に住むのは、美津子だった。こうして昌明はまた二つに引き裂かれていく。

「おなか空いたでしょ」

千絵がコンビニから弁当を買ってきてくれた。二人でテレビのサッカー中継を眺めながら仲良く食べた。千絵は自分の嫌いな唐揚げや柴漬けを勝手に昌明の弁当箱に入れてしまう。そして必ず、白飯を三分の一残すのだった。昌明は千絵の残した冷たい飯を最後に一口で食べた。こうして朝から一日入り浸った昌明が、家に帰るのは九時過ぎだった。

昌明は、細心の注意を払って千絵の部屋から出た。誰か住人に見られたらすべてが終わりだ。この日も難なく階段から帰ることができた。帰りに階段を使うことにしたのは、見つかった場合、運動のためにエレベーターに乗らず、足で登って来たと言い訳できるからだった。そのために昌明は時々、わざと息を切らしてドアを開けてみたりもする。

「ただいま」

「面接どうだった？」

心配そうな美津子が昌明の顔を見るなり眉を寄せた。この表情は美津子の顔に張り付きつつある。昌明は良心の呵責《かしやく》を隠し、抱えていたスーツのジャケットを手渡した。

「駄目だろうな」

「今日はどこに行ってて遅くなったのよ」美津子は不満そうだ。

「ああ、ごめん。東海林《しょうじ》さんに今後の相談してたもんだからさ」

東海林とは、仲のいい元部長の名前だった。

「東海林さん、決まったの」

「いや、まだらしいよ」

「本当？」美津子は怪訝《けげん》な顔をした。「本田さんの奥さんが言ってたわよ。東海林さんは東京で職を見つけたって」

「いや、まだ本決まりじゃないんだ」

昌明はごまかした。美津子が不審な表情をするのに気付いた。仏頂面で先にリビングに入って行く後ろ姿に向かって、昌明は鋭い声を投げかけた。

「おまえ、俺の身にもなってみろよ」

それが八つ当たりだということもわかっていた。家では不機嫌な失業者を装っていても、階下では機嫌のいいヒモだ、ということも。すべてが欺瞞《ぎまん》で、心が痛んだ。美津子がさっと振り向いた。目に気の毒そうな色を浮かべている。

「本田さんのご主人ね、N信託に決まったんだって」

あいつならそうだろう、と昌明は口を歪めてつぶやく。ちっとも羨ましいとは思わなかった。

本田のポマード臭い髪と個性のない容姿を思い出し、自分のような生活をしてみろと優越感すら感じる。俺は階下の変な女と毎日寝て、妻も可愛がっているんだぞ。それがどんなに素敵なことかわかるか。おまえにゃ、一生わかるまい。

昌明はリビングに入って行った美津子を見送り、廊下でとんとんと足踏みをした。それが千絵への合図だった。今日もばれない、何事もない。

ソファに腰を沈めると、美津子が切り出した。

「ねえ、下の人ね、あれから会った?」

「いや、会わないよ」さすがに美津子の顔をまっすぐ見られなかった。昌明はそれをごまかすように夕刊を手に取りながら逆に尋ねる。「また何か言ってきたのか」

「そうじゃないのよ」美津子は愉快そうに手を振って否定した。それから子供部屋のほうを窺って声を潜めた。「あの人ね、朝っぱらから変な声出してるのよ」

「どんな?」

今朝の窓際での出来事だ、と昌明は焦った。調子に乗り過ぎたかもしれない。幾ら何でも悪趣味だし、危険な綱渡りだった。

「どんなって、セックスしてる声に決まってるじゃない。絶対に窓際でしてるのよ。あたし呆れちゃったわ。男と住んでいるのかしらと思って、床に耳をつけてみたの。そしたら、ぼそぼそ話し声がするじゃない。うちのが聞こえるのと同じで、あっちのも聞こえるのよ。刺激し過ぎたんじゃない」

「やめろよ、そんなこと！　みっともない」

昌明は声を荒らげた。もしや、自分の声だと聞き分けたのではないか。そんな危惧《きぐ》が激しい声を出させた。美津子は驚いたようにすくんでいる。

「そりゃそうだけど……」

「男がいたっていいじゃないか。他人事なんだから」

「いいけど、悔しいじゃない。うちのことをあれこれ言われて。だから今度会ったら言い返してやろうかと思って。あなたも朝から変な声出さないでよって。生活が乱れているんじゃないですかって」

言いながら美津子は意地悪な笑みを浮かべた。昌明は困惑した顔を夕刊で隠した。

「ほっとけよ」

「だって癪に障るじゃない。一方的に言われたまんまで。今度、部屋の前で待っていようかしら。その男の人の顔、見たいわ」

「よせよ！　馬鹿」

昌明は反射的に立ち上がり、うろうろ歩きだした。まさか美津子が本気で言ってるとは思えないが、千絵に対する恨みがあるからどう出るかわからない。

「あなたどうしたのよ」

美津子が突然言ったので、昌明は面食らった。

「どうしたって、何が？」

「前に文句言われた時に、理事会にかけてやるって言ったのあなたじゃない。急にいい人になっちゃって」

「そうだっけ」昌明はごまかした。「自分が失業すると、他人を非難する気にならないんだよ」

納得のいかない顔をしている美津子をほったらかしたまま、昌明は寝室に行った。洋服ダンスを開けてシャツを脱ぎながら、美津子の言葉を反芻《はんすう》する。どこまで本気なのか。外れたことはしない美津子のことだから、どうせやりはしないだろうが、千絵への好奇心を喚起したのはまずかった。

しかし、自分と千絵の情事を、美津子が床に耳をつけて聞いているのを想像すると、また興奮しないでもない。自分は上下に女を住まわせ、行ったり来たりしながらいったい何をしているのだろう、職もないくせに。さすがに昌明はベッドの端にへたりこむように座り、事態の複雑さに頭を抱えた。

「ねえ」と、美津子が突然、入って来た。慌てて昌明は顔を上げた。

「何だよ」

「さっき言い忘れたけど、両親が出てくるって。しばらくここにいて、あなたと仕事のことで話し合いたいって言ってる」

「そう。親父さん、俺を製材所にスカウトしにくるのかな」

「まさか急にはそんなこと言わないわよ。知り合いに紹介したいって言ってたわ。いいかしら」

頑固な田舎者の義父と世話好きな義母のことを思うと、面倒臭い。しかし、自分の失業のせいで心配をかけているのだから、当然と言えば当然だった。昌明は頷いた。

「わかったよ、何時《いつ》来るんだ」

「明日の十時頃ですって」

そろそろ潮時か。いや、せめて延期にしたい。昌明はベッドから降りて、カーペットを敷き詰めた床に横たわった。千絵に少しでも近づきたかった。


翌朝、いつもより早く、昌明は千絵の家のインターホンを押した。

千絵はまだ眠っているのか、なかなか出てきてはくれない。隣の部屋のドアから、若い女の声がする。昌明は慌てて階段のほうに走って姿を隠した。

「じゃ、いってきまーす」

ドアが開いて、大学生らしい若い女がミニスカートの裾を翻して出て行くところだった。危なかった。昌明は胸を撫で下ろし、また千絵の部屋の前に戻った。

「はい？」

寝起きの顔で千絵がドアを開けた。昌明は急いで中に滑り込んだ。

「どうしたの、早いじゃない」

千絵は黒のタンクトップにショーツという姿で昌明の肩に両腕を預け、そのまま猫のような伸びをした。

「ごめん」

暫《しば》くの間来られなくなる、と言いに来たのに、千絵は「もう一回寝ようよ」と、昌明の手を引いて寝室に連れて行く。抗しがたい欲望がすぐさま湧き出て、ここに来ないことなんか考えられないと昌明は思う。

寝室は薄暗く、クーラーの淀《よど》んだ冷気と千絵の吐き出した二酸化炭素のせいで、千絵の膚のように滑らかで、淫靡《いんび》な匂いが籠もっていた。昌明は千絵のタンクトップを脱がせ、自身のスーツの硬い生地に柔らかな体を押しつけた。こうすると、千絵の体の突出した部分が擦れるはずだった。千絵は息を弾ませ、昌明の手を引っ張りながら、自分はベッドに横たわった。昌明は横でそれを眺めている。

「舐めて」

「千絵が舐めろよ」

昌明は立ったままズボンのジッパーを下げ、引きずり出したペニスを横たわった千絵の口に押し入れた。千絵がおしゃぶりのように舐めまわす音が淫らだった。猫が皿を舐めている音を連想する。いつも千絵はこうする。昌明は、目を閉じて口いっぱいにほおばっている千絵の顔を見ながら昨夜のことを思い出している。

昌明の股間に蹲《うずくま》ってペニスを舐める美津子の口。これまで美津子は千絵のように音を立てたことがない。だが、昨夜は違っていた。すべてが激しかった。昼間、千絵と自分の情事の音を聞いたことが、いつもと違う美津子を誘いだしたのに違いない。

実に面倒なことになった、とも思う。しかし、どうでもいいではないか。この部屋に来ると、すべてがどうでもよくなる。時間が経つことさえも。明日、どんな日が待っていようとも。昌明は目を閉じて、快楽を得ようと気持ちを集中した。

「今日はいつもより一時間も早いね」

「うん、いろいろあってさ」

昌明は腕枕にした千絵の赤い髪を指先で弄《もてあそ》んだ。すべてはこの髪から始まったのだ。

「どんなこと？」

「後で話すよ」

千絵は黙ったまま、天井を睨み付けた。

「どうしたんだ」

「うん、あなたの奥さん、今日は静かだなあと思って。何してるんだろう」

きっと床に耳をつけて俺たちのセックスを聞いているんだ、と昌明は心の中で答えた。

「女房の両親が出てくるんだ。泊まり込むから、しばらく来れないかもしれない」

「そう。どうして？」

「あちこち紹介してくれる気なんだ。当分来られなくなるかもしれない」

「いいわよ」千絵は軽く答える。「だけど、よかったじゃない」

もっとがっかりしてくれるといいのに。昌明は千絵の反応に失望する。千絵はやはりキャットウーマンだ。まだ薄暗がりの中で一緒に漂っていたいのに、千絵が体を起こした。

「ごめん、そろそろ起きなくちゃ」

千絵は全裸のままベッドから降り、夜空の色をしたベルベットのカーテンをさっと引いた。ガラス窓越しに陽光が入り、千絵の赤い髪を美しい花のように際立たせる。昌明はそれに見とれ、それから眩しさに目を細めて空を仰向けに見上げた。

「いい天気ね。何着ようかな」

千絵が楽しそうに洋服ダンスの扉を開けている。昌明は雲ひとつない青空を逆さまに眺めながら、美津子が玄関ドアに耳をつけて盗み聞きしている様子を思い浮かべた。ドアが密かに開き、美津子がベッドの横に忍び寄ってくる様も。美津子がそれで、また違う面を見せてくれればいいのに。そして、千絵が自分と妻のことを妬《や》いて、もっと自分に拘泥してくれればいいのに。俺は永久に二人の女の間を行ったり来たりしたい。

昌明は想像を打ち消し、これからどうしようかと青空から天井に目を転じた。すると、まるで昌明の様子をじっと窺っていたかのように突然、ぱたぱたとスリッパの音が聞こえてきた。

night sand

夜の砂

もうじき自分が死ぬのはわかっていた。

靄《もや》がかかったようにすべての輪郭がぼやけて見える。食べ物はほとんど喉を通らなくなった。手足に触れると、自分のものとは思えないほど冷たい。あと何日かで違う世界に行く。怖くはなかった。私は七十八歳だ。日向にある砂は、日が沈めば表面からゆっくりと冷えていく。芯まで冷たい夜の砂になる、それが死ぬことなのだ。

不思議なのは、死につつある私に毎晩訪れる夢。それがもたらす恍惚と豊かな実りだ。重い瞼《まぶた》を閉じた老婆の心の高ぶりをいったい誰が想像できるだろうか。皺んだ肌のすぐ下に脈打つ血のざわめきを誰が感じ取れるのか。この世の誰が、命消える直前の歓《よろこ》びを後世に伝えてくれるだろうか。私は病院のベッドの上で密《ひそ》かに笑っている。だが、誰も気がつかない。

最初は泣きたくなるほど優しい抱擁だった。

ある夜、大きな不安の中で目を覚ました。今夜もまた、闇に潜む孤独と恐怖が眠れぬ私を苛《さいな》むのだろう。私は溜息をついた。その時、傍らに見知らぬ男が横たわっているのに気づいたのだ。

男は私の首の下に腕を差し込み、厚い胸に抱き寄せた。男は夜の森の芳香を漂わせた穏やかな闇そのもの。私は安堵した。

男は私の背中をさすり、髪を撫で、少しかさついた唇で喉にくちづけした。掌が乳房を覆い、控えめに乳首を摘む。私は見えない男の顔を指でまさぐってみた。髭の剃りあと。堅く短い髪。年齢も姿形も定かではなかった。男は何十年も前に死んだ私の夫ではなく、また見知った男たちの誰かでもない。そしてこの私も老婆ではなく、また昔の自分でもなく、ただの女になっているのだった。何という夢だろう。

男は私の体を丹念に探り続け、病室に夜明けの光が射すと、いつの間にか姿を消した。男の出現とともに、私の孤独も恐怖も去った。

次の夜は激しい恍惚で、ゆくりなくも目が覚めた。私の脚の間に昨夜の男が蹲《うずくま》っている。無理矢理押し広げられた太股《ふともも》の内側に、男の指が食い込む。私は濡れていた。舌先が尖り、肉の芽をなぶりはじめる。両の指で襞《ひだ》が左右に開かれる。湿った内部に風が当たるのを感じ、私は声を上げていた。男は暗闇から、私が何度も達するのを見守っていた。そして私は、今までしたこともない淫らな行いをした。男の陰茎を摑み、自ら誘ったのだ。

翌朝、排泄を手伝っていた看護婦が謝った。

「こんなところに痣《あざ》がついてる。ごめんね。誰か乱暴に手伝ったのね」

男は確実にやって来たのだ。私は彼に夢魔と名づけた。夢魔はそれから毎晩、私のもとに訪れるようになった。私は毎夜、夢魔と交わった。さまざまな形の交接。あらゆる媚態。これまで味わったこともない愉悦。それが彼とともにやって来る。私は死を忘れた。

今夜の夢魔は夜が忍び寄る前に訪れた。夕闇が病院の廊下の隅に陣どった頃。カーテンを揺らす風が冷たく、湿り気を帯びはじめた頃。初めてのことだった。

彼は大きな肉の船となり、私を背後から包んでゆっくり揺らした。滑らかで大きな掌が私の両頬に触れる。私の頬は娘のように張りがあってふくよかだ。ありがとう。私はすでに体が馴染《なじ》んだ掌に、そっとその頬を寄せる。今日も来てくれてありがとう、と。

夢魔はけっして声を出さない。だが、好きな女を可愛がる男だ。その仕草は優しく丁寧で、慈しみに溢れている。私はしばらく夢魔の体温や広い胸の感触を楽しんで仰向けに漂っている。幼い頃、父親に抱かれていた時のことを思い出しながら。

やがて夢魔の陰茎が堅くなるのを太股の裏で感じ取る。このまま背後から刺し貫かれたい。そう思った途端に、夢魔の手は性急で荒々しい男の手に変わる。片手で私の腕を束ね、もう片方の手は乳房を揉みしだく。足は強引に私の体を割り裂く。狭い筒にねじ込まれる陰茎。二人で身を捩《よじ》りながら向かうのは天国だろうか。私はあまりの快楽に思わず大きな声で叫んでいた。

「だいじょうぶですか」

看護婦が心配そうに覗き込んでいる。私の上気した顔を見て不審な表情をしているはずだ。しかし、私の目にはすでに生まれたての子犬みたいな白い膜がかかり、その表情は見えない。

「苦しい？　先生呼ぼうか」

放っておいて。そう言いたかったが声が出なかった。これまでの夢魔との別れは、いつも潮が引くように緩やかなものだった。こんな別れかたはしたことがない。夢魔が行ってしまう。そればかり考えていた。看護婦が病室から出て行く気配がすると、私は闇に向かって言った。

「また来て」

彼はそれ以来、二度と現れない。私は時間の観念を失い、ベッドに横たわっている。明日は来るだろうか。それとも、明日そのものが私に来るだろうか。私は夢魔がいるはずの闇を見たいと目を開ける。しかし、私の目はすでに夜も昼もわからない。私の見ているものは闇ではなく、薄ぼんやりとした白い光だった。

突然、私は彼の本当の名を知った。「死」だ。あるいは「私」という名前。彼は私が夜の砂になってしまう前に、体の芯から放射される昼間の名残の熱なのだった。私は荒い息を吐きながら、自身の萎《しな》びた胸に触れてみた。もはや温度は感じられなかった。とうとう夜の砂になる……。

初出一覧

デッドガール　小説新潮　一九九八年三月号
六月の花嫁　小説新潮　一九九七年六月号
蜘蛛の巣　小説新潮　一九九五年十月号
井戸川さんについて　小説新潮　一九九六年四月号「ぼくの殺人事件」改題
捩れた天国　ミステリマガジン　一九九六年七月号
黒い犬　ＥＱ　一九九七年七月号
蛇つかい　小説新潮　一九九六年七月号
ジオラマ　小説新潮　一九九八年五月号
夜の砂　自由時間　一九九六年八月号

装画　四宮金一
装幀　新潮社装幀室

新潮
エンターテインメント
倶楽部

ジオラマ

1998年11月20日発行
2000年7月30日7刷

【著　者】桐野夏生《きりのなつお》
【発行者】佐藤隆信
【発行所】株式会社新潮社
郵便番号162-8711　東京都新宿区矢来町71
【電話】編集部03-3266-5411　読者係03-3266-5111
【印刷所】大日本印刷株式会社
【製本所】株式会社大進堂

乱丁・落丁本は、ご面倒ですが小社読者係宛お送り下さい。
送料小社負担にてお取替えいたします。
ISBN4-10-602642-2　C0393
価格はカバーに表示してあります。

●新潮ミステリー倶楽部●

骸の誘惑　雨宮町子

誘い込み、搾り取り、骨抜きにして、するりと姿を晦ます女。ターゲットの破滅を気にもとめず、骸となっても男たちに甘い幻を見せ続ける女。魂も凍る心理サスペンス。本体一六〇〇円

●新潮エンターテインメント倶楽部SS●

守宮《やもり》薄緑《うすみどり》　花村萬月

沖縄の夜、亜熱帯の闇の中で出会った女たち。眩暈《めまい》がするほど強烈な、性の狂熱が体を包んでいく……中途半端な理性を打ち砕き、生の根源を嬲《なぶ》る濃密無比な作品集！　本体一四〇〇円

●新潮ミステリー倶楽部●

溺れる魚　戸梶圭太

二人の不良警部補が罪のもみ消しと引き換えに命じられた、奇妙な仕事とは……強烈な悪役、豪快なチェイス、痛烈などんでん返しが激突、これぞ完璧なる娯楽小説！　本体一七〇〇円

●新潮ミステリー倶楽部●

疫病神　黒川博行

敵はヤクザ、政治家、建設会社。狙うは数十億円の巨大利権〝産業廃棄物処理場〟。そして相棒は……厄病神!?　欲と暴力を軽妙に描く関西風味ハードボイルドの最高傑作！本体一八〇〇円

●新潮ミステリー倶楽部●

ワシントン封印工作　佐々木譲

一九四一年初冬、ワシントンD.C.日本大使館。難航する和平交渉の最前線で芽生えた恋のトライアングルが、機密情報を打ち出すタイプライターに絡みついて……。　本体一九〇〇円

●新潮ミステリー倶楽部●

海は涸いていた　白川道

すべてを逆転する手段が、たった一つある——。血であがなわれた究極のウルトラEとは何か。ハードボイルド界に彗星のごとく現われた天才・白川の、熱い熱い逸品。　本体一六五〇円

表示の価格には消費税は含まれておりません。